# BENEDETTA PARODI

# BENVENUTI
# NELLA MIA CUCINA

AVALLARDI

Antonio Vallardi Editore s.u.r.l.
Gruppo editoriale Mauri Spagnol

www.vallardi.it

Tavole a colori di: Manuela Vanni

Redazione e impaginazione di: Ad service

Ristampe:     9   8    7   6    5   4    3   2
              2014      2013      2012      2011

ISBN 978-88-7887-462-6

# Sommario

Cosa c'è stasera per cena? Finché si tratta del cotechino a Capodanno o dell'agnello e delle uova di cioccolato a Pasqua, la scelta non è difficoltosa. Il problema è farsi venire l'idea giusta per tutti gli altri giorni dell'anno. È per questo che ho deciso di scrivere questo ricettario in forma di diario. Da settembre ad agosto, mese dopo mese, giorno dopo giorno, ho provato a raccontarvi tutto ciò che passa sui trafficatissimi fornelli della mia cucina. Piatti di ogni tipo: per le cene in famiglia, le occasioni con gli amici, i compleanni, le feste comandate e le serate pigrissime davanti alla tv... Perché anche un semplice panino, con qualche piccolo trucco, può trasformarsi in qualcosa di veramente delizioso!

*Benedetta*

# SETTEMBRE

*Settembre ha un sapore dolceamaro... l'amaro delle vacanze finite e il dolce della quotidianità ritrovata. Si ricomincia, insomma, e io, proprio come a Capodanno, parto sempre con dei buoni propositi, anche in cucina. È il momento di rimettersi in carreggiata: basta schifezze e pasticci, si torna a mangiare sano!*

Pennoni con fagiolini
e briciole all'aceto
balsamico

Tacchino in salsa tonnata
allo yogurt

Spaghetti integrali
con verdure

Torta mille modi

Mousse al caffè

Barchette di peperoni

Torta salata
di pane secco
e pomodorini

Hamburger tutto dentro

Cuscus con verdure
velocissimo

Carne ammucciata

Lingue di gatto

Carbonara

Focaccia dolce

Turbanti di sogliola
(o di orata)

Tagliatelle con panna
e zafferano

Tournedos alla senape

Patate sauté

Torta di carote
di Francesca

I settembre

I buoni
propositi
del rientro

Che bello ritrovare la mia cucina, le mie pentole... persino il mio disordine. Bene! Avanti con tante verdure. Il problema è convincere anche il resto della famiglia, ma oggi ci sono riuscita! Ho provato una pasta molto sfiziosa, con i fagiolini che cuociono direttamente insieme alla pasta e un sugo che crea un bel contrasto tra le briciole di pane all'aceto balsamico (dolce) e una grattugiata di provolone (piccante). In più devo dire che si presenta benissimo e a tavola, come dappertutto a dire il vero, anche l'occhio vuole la sua parte!

## Pennoni con fagiolini e briciole all'aceto balsamico

4

- 320 g di pennoni
- 200 g di fagiolini
- ½ pagnotta di pane secco
- 1 tazzina di aceto balsamico
- 2 spicchi d'aglio

- 60 g di provolone piccante
- origano (facoltativo)
- olio extravergine
- sale e pepe

Lessare i pennoni insieme ai fagiolini tagliati più o meno della stessa lunghezza. Nel frattempo frullare il pane e mettere a tostare le briciole ottenute in una padella antiaderente. Appena incominciano ad abbrustolire, sfumarle con l'aceto balsamico. Quando l'aceto è evaporato trasferire le briciole al balsamico in un piatto. Versare abbondante olio nella stessa padella e farvi rosolare gli spicchi d'aglio schiacciati. Una volta arrivati a cottura scolare la pasta e i fagiolini, farli saltare nella padella a fuoco vivace in modo che si insaporiscano. Aggiungere le briciole di pane e, a fuoco spento, il provolone grattugiato (volendo, si può profumare anche con l'origano).

Sono proprio soddisfatta delle mie nuove ricettine sane e leggere. Le ho trovate in un libro scritto dallo chef di una splendida beauty farm. Io mi accontento di provare le ricette, ma me la immagino la scena... Sulla porta, mentre con naturalezza saluto il resto della famiglia: «Ciao bambini, ciao caro! Vado una settimana a rilassarmi sul lago di Garda». Pura fantascienza!

Invece, tornando alle cose reali, questo tacchino condito con la salsa tonnata fatta di yogurt ha del portentoso. Naturalmente si può anche usare il classico vitello. Certo, il tacchino costa molto meno e non si rischia di utilizzare un taglio sbagliato che magari rimane duro come il marmo.

*2 settembre*
*Sognando una beauty farm*

## Tacchino in salsa tonnata allo yogurt 4 🧑

- 500 g di petto di tacchino in un unico pezzo
- 1 costa di sedano
- 1 carota
- 1 cipolla
- pomodori ciliegini e capperi per guarnire
- sale

*per la salsa*
- 250 g di yogurt greco
- 100 g di tonno al naturale sgocciolato
- 2 filetti di acciuga
- 2 cucchiai di capperi
- 1 cucchiaino di soia
- sale

Bollire il tacchino con il sedano, la carota, la cipolla e un po' di sale per circa ¾ d'ora. Mentre la carne cuoce, preparare la salsa frullando insieme tutti i suoi ingredienti. Assaggiare e, se necessario, aggiungere un pizzico di sale. Terminata la cottura del tacchino avvolgere la carne nell'alluminio e farla raffreddare. Una volta che si sarà raffreddata, tagliarla a fette. Disporre le fette su un piatto da portata, ricoprirle abbondantemente con la salsa e completare guarnendo con qualche cappero e i pomodorini tutt'intorno. Conservare in frigorifero fino al momento di servire.

*Se continuo così, prima o poi rischio un ammutinamento fami-*
*liare. Anche oggi, infatti, ho cucinato una cenetta molto leggera.*
*Bisognava fotografare la faccia di Matilde ed Eleonora quando si*
*sono trovate nel piatto gli spaghetti integrali...* «*Ma di che colore*
*sono?*», *hanno chiesto sospettose. Alla fine Eleonora si è lasciata*
*convincere, mentre Matilde ha tenuto il punto e ha saltato il pri-*
*mo. Peccato che il secondo lo avessi saltato io... Nel senso che non*
*lo avevo proprio cucinato! Fortunatamente era avanzato un po' di*
*tacchino tonnato del giorno prima. Meno male! Dulcis in fundo,*
*avevo provato a fare una torta di carote e amaretti, sempre molto*
*light, senza zucchero né burro né farina... Ve la lascio immagina-*
*re! Per farla raffreddare in fretta ho avuto la malaugurata idea di*
*metterla in terrazzo, peccato che dopo un'ora ha cominciato a pio-*
*vere e io non me ne sono accorta. Tranquilli, della torta non vi darò*
*la ricetta, ma degli spaghetti sì! Sono ottimi, leggeri e saporiti.*

## Spaghetti integrali con verdure     4

- 350 g di spaghetti integrali
- 4 spicchi d'aglio
- peperoncino
- 1 peperone giallo
- 1 melanzana piccola
- 1 zucchina

- 1 cucchiaio di capperi
- 250 g di pomodori ciliegini
- 1 mazzetto di basilico
- olio extravergine
- sale

In una padella soffriggere l'aglio e il peperoncino in abbondante olio, poi aggiungere le verdure tagliate a dadini

piccoli (tranne i pomodorini) e farle saltare. Proseguire la cottura a fuoco abbastanza vivace, per evitare che le verdure si ammorbidiscano e diventino acquose come in un minestrone. Unire i capperi e regolare di sale; a metà cottura, aggiungere i pomodori ciliegini tagliati a metà. Lessare gli spaghetti, scolarli e farli saltare con le verdure. Se necessario, aggiungere un po' di olio o d'acqua della pasta per non lasciare il piatto troppo asciutto. Concludere con tanto basilico spezzettato finemente.

*P.S.*

*Se proprio non volete rischiare la rivolta in famiglia, usate pure gli spaghetti classici.*

---

*Oggi la parola light è vietata: è il compleanno della golosissima Matilde. Per la sua festa, buffet di panini, pizze, focacce, biscotti e dolci vari. Quest'anno ho deciso di preparare anche due torte molto semplici e soffici, una ricoperta di gocce di cioccolato e farcita di Nutella, l'altra ricoperta di granella di zucchero e farcita di marmellata. Si tratta di un impasto leggero senza burro e con pochi grassi, che può essere la base per molte varianti a seconda dei gusti e delle stagioni. Una formula preziosa, che non tradisce mai... in qualunque modo decida di truccarla. È un regalo di Loretta. Ho pensato anche a una mousse al caffè (ricetta della mitica Carla), che va bene per le mamme e per la Leo, che ha una passione per il caffè. La servirò direttamente nelle tazzine perché questa mousse risulta molto morbida, ma questo è proprio il suo buono.*

*5 settembre*
*Compleanno light? No, grazie!*

## Torta mille modi 6 👤

- 4 uova
- 250 g di zucchero
- 200 ml di latte
- 125 ml d'olio di semi

- 350 g di farina
- 1 bustina di lievito
- 100 g di gocce di cioccolato
- Nutella

Sbattere le uova con lo zucchero, aggiungere il latte e, sempre mescolando, l'olio. In ultimo incorporare la farina mescolata con il lievito (per rendere l'impasto più soffice io mescolo tutto con la frusta elettrica, ma potete anche usare la frusta a mano o un cucchiaio). Rovesciare l'impasto in una tortiera foderata di carta da forno (sceglietene una profonda perché la torta crescerà parecchio) ricoprire la superficie di gocce di cioccolato e mettere in forno a 180° lasciando cuocere per 30 minuti. Una volta raffreddata tagliare la torta a metà, dividerla con l'aiuto di due piatti, farcirla con la Nutella e richiuderla (in alternativa sostituite le gocce di cioccolato con granella di zucchero e farcitela con marmellata a piacere).

### p.s.

*Provate a distribuire sull'impasto già steso nella tortiera spicchi di pesche sciroppate e poi completate con la granella di zucchero su tutta la superficie del dolce. Verrà uno spettacolo!!*

## Mousse al caffè 7-8 tazzine

- 2 tazzine di caffè (anche solubile)
- 200 g di cioccolato fondente

- 100 g di zucchero
- 2 uova
- 250 g di mascarpone

Mettere un tegamino sul fuoco, versarvi il caffè e farvi sciogliere il cioccolato e lo zucchero. Togliere dal fuoco, aggiungere i tuorli e amalgamare il composto. Lasciare raffreddare un po' e incorporare il mascarpone. Montare i bianchi a neve e unirli alla mousse mescolando delicatamente dal basso verso l'alto. Versare in tazzine da caffè o coppette monodose e lasciare riposare in frigorifero anche una notte in modo che si solidifichi prima di servire.

*Cena con amici. Io mi occupo dell'antipasto: ho fatto delle squisitissime barchette ai peperoni, ricetta di Massimilia. Quando le porterò saranno appena tiepide. Il modo migliore per gustarle.*

*6 settembre*
*Antipasto*
*sfizioso*

## Barchette di peperoni

4

• 2 peperoni gialli

• 2 peperoni rossi

*per la farcia*

• 100 g di pangrattato

• 1 cucchiaio di capperi

• 50 g di grana

• prezzemolo

• 100 g di formaggio tenero (tipo Galbanino)

• 1 tazzina d'olio extravergine

• sale

Pulire e tagliare i peperoni a spicchi abbastanza grandi (si devono ottenere delle forme tipo barchette), sistemarli in una teglia in modo che stiano vicini e si sostengano a vicenda. Per la farcia mescolare in una ciotola il pangrattato, il grana, il formaggio tenero a dadini, i capperi tritati grossolanamente, il prezzemolo, il sale. Condire con l'olio e con qualche cucchiaiata d'acqua per rendere la farcia morbida e un po' appiccicosa. Salare leggermente le barchette e poi riempirle abbondantemente (non importa se un po' di ripieno cadrà nella teglia). Condire con un po' d'olio e infornare a 180° lasciando cuocere per una buona mezz'ora.

*Questo pomeriggio ho deciso di smaltire tutto il pane secco che avevo avanzato. Mi dispiace buttarlo, ma poi non so mai cosa farne. Per fortuna ho trovato una ricetta fantastica che trasforma un avanzo in un piatto davvero golosissimo e bello da vedere! Poi, passando davanti al banco dei salumi al supermercato, ho sentito un profumo irresistibile di mortadella e mi sono fatta tentare: stasera minestrone di verdura e affettati con super torta ai pomodorini.*
*P.S. Per rendere una busta di minestrone surgelato un po' speciale, io ci aggiungo un cucchiaino di pesto.*

## Torta salata di pane secco e pomodorini

6-8 ♟

- 250 g di pane secco
- ½ litro di latte
- 250 g di ricotta
- 200 g di scamorza affumicata
- prezzemolo

- 2 uova
- 6 pomodorini
- grana grattugiato
- sale

Mettere il pane secco e il latte leggermente intiepidito direttamente nel vaso del mixer e lasciare ammollare. Aggiungere la ricotta, regolare di sale e frullare fino a ottenere un composto omogeneo. Trasferire l'impasto in una ciotola. Grattugiare la scamorza con la grattugia dai fori grossi (quella per la carota) e unirla al composto insieme al prezzemolo e alle uova intere. Amalgamare bene il tutto e trasferirlo in una pirofila foderata di carta da forno. Tagliare in due i pomodorini e affondarli leggermente nell'impasto, cospargere con il grana e cuocere in forno a 180° per 40 minuti.

*La domenica è bella, ma tanto faticosa. Io poi sono sempre da sola perché Fabio lavora e i miei genitori sono lontani. Così, dopo aver preparato la colazione, riordinato un minimo la casa, vestito tre bambini... è già l'ora di pranzo! Oggi volevo fare una classica fettina di pollo con spinaci, poi ho pensato alle padelle, ai piatti, alla noia di dover insistere: «Dài, mangiate la verdura!». Allora ho preso il frullatore e ho buttato tutto dentro: pollo e spinaci! Il primo esperimento cotto in forno, in effetti, non era eccezionale, per usare un eufemismo. Invece il secondo, in padella, era davvero eccellente: una sorta di hamburger verde croccante fuori e sugoso dentro. La prova? È finito in un attimo!*

**13 settembre**
**Domenica sprint**

## Hamburger tutto dentro                4 👤

- 4 fette di petto di pollo
- 2 cubetti di spinaci surgelati
- 50 g di grana grattugiato
- 2 cucchiai di besciamella
- farina
- noce moscata
- olio extravergine
- sale

Lessare gli spinaci in poca acqua. Scolarli e strizzarli per togliere l'acqua in eccesso, poi metterli nel bicchiere del mixer. Aggiungere il pollo tagliato a pezzi, il grana, la noce moscata, la besciamella e una presa abbondante di sale. Tritare fino a ottenere un composto appiccicoso e non troppo duro (eventualmente aggiungete altra besciamella). Prendere una cucchiaiata di impasto e con le mani formare dei piccoli hamburger, infarinarli leggermente e metterli a cuocere in una padella antiaderente appena unta d'olio, facendoli rosolare da entrambi i lati.

*15 settembre Alternativa etnica* *Oggi penne, spaghetti o fusilli? Nessuno dei tre: per cambiare ho cucinato un cuscus velocissimo, non troppo speziato per i bambini e pieno di verdure che, tra l'altro, ho comprato in busta già pulite e surgelate. Buono e sano!*

## Cuscus con verdure velocissimo 4

- 250 g cuscus
- 1 cipolla
- 1 busta di verdure surgelate da contorno
- 250 g d'acqua
- 1 dado di carne o verdura
- zafferano
- basilico
- olio extravergine
- sale

Affettare la cipolla e farla rosolare in padella con un po' d'olio. Aggiungere le verdure surgelate (nelle buste che acquisto io ci sono 450 g tra peperoni, fagiolini, cavolfiori, broccoli e carote) e portarle a cottura a fuoco vivace insaporendole con un po' di sale. Nel frattempo far bollire l'acqua in un pentolino, aggiungere il dado e il sale. Raggiunto il bollore, spegnere il fuoco, unire il cuscus, mescolare circa un minuto aggiungendo qualche cucchiaio d'olio e lasciar riposare (dopo circa 10 minuti il cuscus sarà rinvenuto e avrà raggiunto la giusta consistenza). Mettere il cuscus nella padella delle verdure e mescolare bene sgranando i chicchi con la forchetta. Sciogliere in una tazzina d'acqua tiepida lo zafferano, aggiungerlo al resto cuocendo ancora per circa un minuto. Servire caldo o tiepido, guarnito con basilico fresco.

*Questa mattina ho comprato delle belle fette di vitello perché mi andava qualcosa di semplice, magari delle scaloppine. Arrivata sera, però, mi era già passata la voglia di cucinarle, così ho sfogliato il mio raccoglitore delle ricette ed è rispuntata la carne 'ammucciata' di Massimilia. Una teglia di patate e carne che cuoce facilissimamente in forno e dà molta più soddisfazione della solita fettina! 'Carne ammucciata' in siciliano vuol dire 'carne nascosta': in questo caso, deliziosamente nascosta tra due strati di patate croccanti saporite.*

16 settembre
*Patate con sorpresa*

## Carne ammucciata

4 👤

- 4 fette di vitello
- 5 patate grosse
- 1 cipolla piccola o 2 scalogni
- origano

- 2 o 3 cucchiai di grana grattugiato
- olio extravergine
- sale

Sbucciare le patate e tagliarle a fette sottili. Affettare sottilmente anche la cipolla o gli scalogni. Raccogliere in una ciotola le rondelle di cipolla e patate, condirle con qualche cucchiaio d'olio, un pizzico d'origano, una presa di sale e il grana. Mescolare delicatamente. Ungere una teglia da forno e coprire uniformemente il fondo con metà delle patate e cipolle. Stendere su questo letto di verdure le fette di vitello, salarle leggermente e ricoprirle con l'altra metà delle patate (attenzione a coprire le cipolle con le patate, altrimenti in forno bruceranno). Cuocere in forno ventilato a 200° per 15-20 minuti circa, fino a quando le patate saranno abbrustolite in superficie. Per dare una migliore coloritura, se necessario, passare la teglia per qualche minuto al grill.

*18 settembre* *Tè con le amiche. Lo ha organizzato a casa sua Cristina Pistoc-*
*Un'oretta* *chi. Dopo aver portato i bambini a scuola e aver fatto un po' di*
*tutta per me* *spesa, ci siamo viste per un tè o un caffè. Eravamo circa una decina. Un'ora di chiacchiera nel suo bel soggiorno prima di ritornare agli impegni di sempre. Per l'occasione ho provato a fare le classiche lingue di gatto. Pensavo fossero una preparazione complicata, da lasciare al pasticciere. Invece grazie alla ricetta di Loretta ho scoperto che è veramente questione di un attimo. Niente bianchi montati a neve, niente sacca da pasticciere. La cosa difficile è stata riuscire a salvarne almeno un 'vassoietto' da portare alle mie amiche.*

## Lingue di gatto

6

- 90 g di zucchero
- 65 g di burro
- 1 uovo
- 60 g di farina

Versare lo zucchero in una terrina, aggiungere il burro sciolto e mescolare bene. Unire poi l'uovo e in ultimo la farina, amalgamando gli ingredienti con un cucchiaio o una frusta fino a ottenere una crema omogenea. Foderare una teglia di carta da forno. Prendere pochissimo impasto sulla punta del cucchiaio e stenderlo sulla carta da forno formando una striscia larga meno di due dita e lunga come un mignolo. Ripetere l'operazione fino a riempire la teglia (le lingue devono stare distanziate una dall'altra). Mettere in forno a 180° e cuocere per circa 5 minuti. Appena i bordi diventano dorati togliere dal forno. Staccare delicatamente i biscotti con un coltello, lasciarli indurire e raffreddare, e procedere con un'altra infornata (sarà necessario fare circa 4 infornate).

### P.S.

*Consiglio di Loretta che mi ha dato la ricetta: si può aggiungere 1 cucchiaio di cacao per fare le lingue di gatto al cioccolato, oppure, prima di cuocere, si può guarnire con la granella di zucchero.*

*La nostra è una famiglia strana. Spesso la domenica lavoriamo (Fabio praticamente sempre). Poi capita che un giorno qualunque della settimana si trasformi in una festa. Oggi, per l'appunto, Fabio era di riposo e ha deciso di mettersi ai fornelli. Lui è romano e io, che lo conosco bene, tengo sempre a portata di mano nel freezer una bella confezione di pancetta affumicata. Avete indovinato... Ci siamo fatti una scorpacciata di pasta alla carbonara, e abbiamo mandato al diavolo la linea, il colesterolo e tutto il resto!*

*21 settembre
Quando
ce vo',
ce vo'!*

## Carbonara 4 👤

- 400 g di tortiglioni
- 200 g di pancetta affumicata a dadini
- 2 uova e 1 tuorlo
- 100 g di formaggio grattugiato (pecorino e parmigiano)
- olio extravergine
- sale e pepe

Rosolare dolcemente la pancetta affumicata con pochissimo olio in modo che rilasci il suo grasso. Farla diventare colorita e croccante. Spegnere il fuoco. Mettere a cuocere in abbondante acqua salata i tortiglioni. Nel frattempo, mettere in una ciotola le uova e il formaggio, aggiustare di sale e di pepe e sbattere fino a ottenere una crema densa. Scolare la pasta, buttarla nella padella con la pancetta e unire anche l'uovo. Mescolare semplicemente il tutto a fuoco spento: il calore della padella deve cuocere l'uovo. Se il condimento dovesse risultare comunque troppo liquido, saltare per pochi istanti la pasta sul fuoco. Completare con altro pecorino e pepe.

*24 settembre*
*Il piacere di leccarsi le dita!*

*Sapori d'infanzia... Una delle specialità di Alessandria, la mia città natale, è la focaccia dolce. Una focaccia simile a quella genovese, ma ricoperta di zucchero leggermente caramellato. Una cosa da urlo! Mia madre la comprava sempre il sabato, poi la metteva in un sacchetto di plastica per conservarla morbida e la nascondeva ogni volta in un posto diverso, in modo da poterla ritrovare intatta la mattina dopo per servircela a colazione. Peccato però che io e mio fratello Roberto la scoprissimo regolarmente, ormai più per il gusto della sfida che per mangiarla di nascosto...*

# Focaccia dolce                                          4-6 👤

*Per questa specialità occorre
un panetto di pasta per pizza
o focaccia, da prendere dal
panettiere o nel banco frigo.
In alternativa, vi indico le dosi
per preparare la pasta voi.*

*per la copertura di zucchero*
• 100 g di zucchero
• ½ bicchiere d'acqua
• olio extravergine

*per la pasta*
• 450 g di farina
• un pizzico di zucchero
  per la lievitazione
• ½ cubetto di lievito (circa 15 g)
• ½ bicchiere d'acqua
• ½ bicchiere di latte
• olio extravergine
• sale

Per preparare la pasta io uso il metodo di Luca. In una pentola di acciaio o alluminio abbastanza alta versare la farina, lo zucchero, il sale e un po' d'acqua tiepida. Incominciare a mescolare con un cucchiaio di legno, aggiungere il lievito sbriciolato e, poco per volta, tutta l'acqua e il latte necessari per ottenere un impasto elastico ma abbastanza morbido. Mescolare sempre con movimenti rotatori, cercando di raccogliere l'impasto al centro del cucchiaio e facendolo girare in modo che piano piano si stacchi dai bordi della pentola e diventi una palla arrotolata intorno al cucchiaio. Ci vorranno 10 minuti circa. Lasciare riposare l'impasto, coperto da un canovaccio, per un'ora e poi stenderlo con le mani sulla placca del forno, ricoperta di carta da forno unta con un po' d'olio per insaporire la pasta. Se occorre, aiutarsi con un altro pizzico di farina. Se invece avete comprato la pasta, lasciarla lievitare un'ora in una ciotola coperta da un canovaccio, poi stenderla sulla placca del forno come indicato precedentemente. Mentre si stende la pasta, con le dita fare i classici 'buchi' della focaccia, che verranno poi riempiti di delizioso zucchero. Una volta stesa, mescolare ½ bicchiere d'acqua con 2 o 3 cucchiai d'olio e versare questo liquido sulla focaccia distribuendolo bene con le mani: deve formarsi un po' di acquetta ma non preoccupatevi, asciugherà in cottura. Distribuire lo zucchero uniformemente su tutta la focaccia e infornare a 200-250° in forno ventilato per 15 minuti. A cottura quasi ultimata commutare il forno in funzione grill e continuare la cottura così da caramellare bene lo zucchero. Togliere dal forno la focaccia e lasciare intiepidire prima di tagliarla e servirla. Dovrà essere umida, sciropposa e deliziosamente appiccicosa. Sarà venuta bene se, finita la vostra fetta, non resisterete all'impulso di leccarvi le dita!

*25 settembre*
*Proprio come al mare*

*Mangiare il pesce fa bene, ma è molto più facile scegliere un piatto sfizioso in un ristorantino in riva al mare che davanti al bancone di un supermercato milanese... Meno male che oggi, mentre ero intenta a fissare una vaschetta di sogliole già sfilettate accanto a due orate e quattro branzini, mi è tornata in mente la ricetta di Pin: turbanti di sogliole. E quel ristorantino in riva al mare non mi è sembrato più così lontano...*

## Turbanti di sogliola (o di orata)   4

- 4 sogliole (o 4 orate) sfilettate
- 2 patate
- 15 olive taggiasche denocciolate
- 1 ciuffo di prezzemolo
- pangrattato
- olio extravergine
- sale e pepe

Lessare le patate con la buccia. Tritare separatamente il prezzemolo e le olive con il coltello o con il mixer. Una volta che le patate sono cotte, sbucciarle, schiacciarle bene con la forchetta e mescolarle con le olive, il prezzemolo, il sale e il pepe. Cospargere il fondo di una teglia con pangrattato e un filo d'olio. Mettere su ogni filetto di pesce una noce circa di impasto di patate e arrotolare intorno alla pallina il filetto di pesce in modo da creare un piccolo turbante. Se volete dei turbanti molto piccoli, tagliate ogni filetto in due, nel senso della lunghezza. Una volta preparati i rotolini di pesce, metterli nella teglia impanata. Quando tutti i turbanti saranno stati sistemati, spolverizzarli con altro pangrattato e concludere con una girata d'olio. Cuocere in forno a 180° per 18-20 minuti.

*Questa sera sono rientrata a casa tardissimo. Le bambine, che non avevano ancora mangiato, reclamavano la cena. Meno male che in frigorifero avevo una confezione di tagliatelle e un cartoncino di panna fresca! Io uso poco la panna a lunga conservazione perché mi sembra più pesante e, di conseguenza, sento che copre troppo i sapori degli altri ingredienti. Insomma, per farla breve, ho fatto la pasta più facile e di maggior resa del mondo. I bambini ne vanno pazzi.*

*27 settembre*
*La pasta più veloce del mondo*

## Tagliatelle con panna e zafferano    3

- 250 g di tagliatelle all'uovo
- 1 confezione di panna da 200 ml
- 1 bustina di zafferano
- grana
- sale

Mettere a cuocere le tagliatelle in acqua salata. Mentre le tagliatelle cuociono versare in una padella la panna, farla scaldare dolcemente, aggiungere lo zafferano e il sale. Mescolare fino a che lo zafferano si è sciolto e ha creato una bella crema di colore giallo e quindi togliere dal fuoco. Scolare le tagliatelle tenendo da parte un po' d'acqua di cottura, buttarle nella padella con la crema e farle saltare sul fuoco per qualche istante finché il condimento non si è leggermente ristretto (se alla fine invece risulta troppo asciutto, allungare con un po' d'acqua di cottura). Completare spolverizzando con abbondante grana.

*28 settembre*
*Accenti*
*autunnali*

*Ho approfittato di questa seratina un po' più fredda per preparare una cenetta davvero autunnale da accompagnare con un bel vino rosso: tournedos (dei piccoli filetti dalla forma circolare, alti almeno due dita) alla senape. Squisiti e molto raffinati. Da servire con patate sauté aromatizzate alla paprica. Detta così sembra chissà che, ma si tratta poi di patate bollite ripassate in padella!*

## Tournedos alla senape 4

- 400-500 g di filetto in 4 fette spesse e dalla forma circolare
- 2 cucchiai di senape
- 1 bicchiere di latte
- 1 cucchiaino di farina
- origano
- sale e pepe
- rosmarino per guarnire

Salare e pepare su entrambi i lati le fette di filetto (potete legarle con lo spago da cucina per dare la tipica forma del tournedos). Scaldare una padella antiaderente e fare cuocere la carne due minuti per lato senza condimento.

Togliere la carne dalla padella e tenerla in caldo coperta da un piatto. Nella stessa padella versare la senape (io uso quella in grani, ma va bene anche quella cremosa tradizionale) e il latte, abbassare la fiamma e fare cuocere fino a che non si sarà formata una salsina saporita grazie anche al poco fondo di cottura lasciato dalla carne nella padella. Per rendere la salsa più densa se ne può raccogliere qualche cucchiaio in una ciotolina, unirvi la farina e poi versarla nuovamente in padella, mescolando per pochi minuti. Sistemare i filetti al centro di un piatto, ricoprirli di salsa, spolverizzare con poco origano e disporre intorno le patate sauté e qualche rametto di rosmarino.

## Patate sauté                                              4 👤

- 400 g di patate
- paprica
- 1 ciuffo di prezzemolo
- olio extravergine
- sale

Mettere a lessare le patate con la buccia, portarle a cottura, scolarle, pelarle e tagliarle a rondelle non troppo sottili. Versare 3 abbondanti cucchiai d'olio in una padella, mettere al fuoco e farvi rosolare le patate in modo che si dorino su entrambi i lati. Regolare di sale. Spolverizzare abbondantemente con la paprica e rigirare le patate ancora una o due volte delicatamente, in modo che la crosticina si aromatizzi bene. A fine cottura devono essere rosse e un po' abbrustolite. A fuoco spento completare con un po' di prezzemolo tritato.

30 settembre
La ricetta
giusta
*Questa è davvero da segnare: torta di carote di Francesca, dol-ce e umida al punto giusto. Insomma una delizia! Non come quella che avevo dimenticato sotto la pioggia qualche settima-na fa...*

## Torta di carote di Francesca 6 ♟

- 300 g di carote
- 3 uova
- 170 g di zucchero
- 120 g di mandorle
- 80 g di farina

- 1 cucchiaio di fecola
- 2 cucchiaini di lievito per dolci
- 1 bustina di vanillina
- lamelle di mandorle per guarnire

Pelare le carote poi grattugiarle o tritarle nel mixer. In una ciotola mescolare i tuorli con lo zucchero, tenendo da par-te gli albumi, e unire le carote. Amalgamare bene il tutto. Tritare le mandorle e incorporarle all'impasto. Aggiungere anche la farina, la fecola, il lievito e la vanillina. Montare a neve gli albumi e incorporarli in ultimo all'impasto. Tra-sferire il composto in una tortiera foderata di carta da for-no, decorare a piacere con le lamelle di mandorle. Mettere in forno a 180° e far cuocere per 30-40 minuti.

# OTTOBRE

*Che bello, sento proprio il profumo dell'autunno! Quando fa freddo stare ai fornelli diventa ancora più piacevole perché la cucina, che è la stanza più calda della casa, si trasforma in un rifugio dove si raccoglie magicamente tutta la famiglia. Non fosse per il freddo che avanza, questo sarebbe il mio mese preferito. Perché? Ci sono i funghi porcini!*

Bollito misto
con condimenti

Ketchup di Fabio

Salsa verde

Lesso rifatto

Risi e bisi

Minestra di zucca
che si cuoce da sé

Crumble di mele

Conchiglioni ripieni

Rotolo di spinaci
e mozzarella

Mousse di prosciutto

Torta sbriciolata
di ricotta e cioccolato

Vellutata di funghi

Arrosto con salsa
di castagne

Patate al forno

Patate e funghi

Frittata di funghi

Pennette alla gricia

Toast stracchino e piselli
con patatine chips

I ottobre
I segreti
del bollito

*Per celebrare l'arrivo del freddo ho fatto un bel bollito misto. Io ci metto sempre anche la lingua, la carne più tenera che si possa mangiare. Le mie bambine diventano pazze, se la contendono fino all'ultima fetta. Credo però non sappiano che si tratta proprio della lingua del bue, altrimenti... Be', io non glielo dico. Fabio invece non la tocca. Anzi l'ha mangiata una sola volta, a Cremona: era uno dei nostri primi appuntamenti e lui, per non contraddirmi, l'ha finita tutta dicendo pure che gli era piaciuta... Cosa non fa l'amore!*

## Bollito misto con condimenti     8 🧑

- 500 g di muscolo
- 2 biancostati, circa 500 g (carne con osso)
- ½ gallina (va bene anche una gallina intera)
- 1 lingua
- 1 cipolla
- 2 carote
- 2 coste di sedano
- sale grosso

Tagliare le verdure grossolanamente e metterle in una pentola capiente piena d'acqua salata. Quando l'acqua è bollente aggiungere la carne e lessare a fuoco dolce per circa due ore. Togliere dal fuoco quando la carne è morbidissima. Sistemare i pezzi di carne in un piatto da portata largo e dai bordi rialzati. Cospargerli con sale grosso e bagnare di brodo. Portare in tavola e porzionare i pezzi, utilizzando un tagliere, secondo i gusti dei commensali. Accompagnare con patate bollite oppure purè e salsine che in Piemonte si chiamano 'bagnetti' (vedi ricette successive).

### P.S.

*Se avete ospiti, per presentare un bollito piemontese veramente completo, lessate a parte anche un buon cotechino. Nella pentola dove cuoce la carne, invece, potete aggiungere anche un pezzo di coda.*

---

*Devo pensare anche ai condimenti del bollito: a ognuno il suo. Io lo mangio con la mostarda di Cremona, Fabio con il 'bagnetto' verde e le bambine con il ketchup. Peccato che, come al solito, di ketchup non ce n'era più. Chissà perché chi lo finisce, non io, non avverte mai! Così Fabio, uomo dalle mille risorse, ha preso in mano la situazione: ha agguantato una bottiglia di passata di pomodoro, che per fortuna non manca quasi mai, e si è inventato un ketchup davvero buono. Ha persino superato l'esame delle bambine che già avevano incominciato un terribile capriccio.*

## Ketchup di Fabio

- 200 ml di passata di pomodoro
- 100 ml di aceto di vino bianco
- 1 cucchiaio d'olio extravergine
- 50 g di zucchero
- una presa di sale

Versare la passata di pomodoro in una ciotola e incorporarvi gradatamente l'aceto, l'olio, il sale e lo zucchero fino a ottenere una crema omogenea. Se si ha tempo, lasciarla riposare in frigorifero anche un giorno.

## Salsa verde

- 1 panino raffermo da 50 g
- 10 g di aceto
- 1 spicchio d'aglio (io ne metto anche meno)
- 2 filetti di acciuga
- 200 g di prezzemolo
- 250 g d'olio extravergine

Mettere il panino raffermo a bagno nell'aceto, fino a quando non l'ha assorbito completamente. Introdurre nel bicchiere del mixer il panino, l'aglio, l'acciuga e il prezzemolo. Frullare il tutto aggiungendo l'olio poco per volta. Quando tutto l'olio è incorporato, versare la salsa verde in una ciotola e farla riposare: l'ideale è lasciarla un giorno in frigorifero.

## P.S.

*Per arricchire ulteriormente il bagnetto si può aggiungere del peperoncino piccante, un tuorlo d'uovo sodo sbriciolato e anche dei capperi a seconda del proprio gusto.*

---

2 ottobre
Che buoni
gli avanzi
del bollito

*Nonostante le nostre splendide salsine e la voracità delle bambine, alla fine non siamo proprio riusciti a finire il mio mastodontico bollito misto. Un'ottima occasione per provare una ricetta del riciclo che mi arriva da Gabriella Simoni, storica inviata di Studio aperto. Un'idea semplice ma gustosissima, grazie alla quale il bollito del giorno prima si trasforma in un irresistibile spezzatino morbidissimo.*

## Lesso rifatto

*Le dosi dovete valutarle voi, a seconda di cosa e quanto dovete riciclare*

• lesso

• cipolla
• olio extravergine
• passata di pomodoro
• brodo

Pulire e tritare la cipolla e metterla a soffriggere in un tegame con un po' d'olio. Unire gli avanzi del lesso tagliati a pezzetti come per fare uno spezzatino, un po' di passata

*Pennoni con fagiolini e briciole all'aceto balsamico (pag. 8)*

*Torta di carote di Francesca (pag. 26)*

di pomodoro e, se necessario, un po' di brodo avanzato.
Lasciare cuocere dolcemente finché il sugo non si è ristretto un po'.

*Con il bollito si vive di rendita per una settimana, o quasi. Oggi*
*con il brodo avanzato: risi e bisi, una zuppa veneta che ho un po'*
*rivisitato e che fa impazzire le mie bambine. Si tratta di riso e*
*piselli. Al posto della pancetta io metto fette di prosciutto cotto*
*tagliate a piccoli pezzetti. Il bello è che risi e bisi si può cucinare*
*con un po' di anticipo, così da sedersi a tavola con tutta calma*
*nel tempo in cui intiepidisce, i chicchi di riso assorbono il brodo*
*e la minestra diventa ancora più spessa e saporita.*

## Risi e bisi                                    4-6 👤

- 400 g di riso
- 1 litro e ½ di brodo (va bene
  anche fatto con il dado)
- 100 g di prosciutto cotto a fette
- 300 g circa di piselli surgelati o
  in scatola

- 1 cipolla o 2 scalogni
- 40 g di burro
- 100 g di grana
- prezzemolo
- sale

Soffriggere nel burro la cipolla o gli scalogni tagliati sottili.
Aggiungere il prosciutto tagliato a striscette piccole; quando è rosolato per bene, unire anche il riso e farlo tostare un
po'. Se si usano i piselli surgelati (o anche quelli freschi),
aggiungerli a questo punto della cottura, salare e incominciare a bagnare con il brodo aggiustando di sale (i piselli
in scatola, invece, vanno aggiunti quando il riso è praticamente cotto, solamente per farli scaldare). Risi e bisi è

un piatto più denso di una minestra e più brodoso di un risotto, perciò per me la dose di brodo indicata è sufficiente. Comunque, regolatevi a occhio e aggiungete il brodo poco per volta. Quando il riso è cotto togliere dal fuoco e condire con il grana e il prezzemolo tritato.

P.S.

*Risi e bisi è ancora più buono il giorno dopo: si tiene da parte un po' di brodo da aggiungere e la zuppa è di nuovo pronta e squisita.*

---

1 settembre
I buoni propositi del rientro *Oggi Matilde arrivava a pranzo all'una con una sua compagna di scuola e, visto che sarei stata impegnata in redazione tutta la mattina, ho dovuto pianificare con un po' di anticipo il menu. Un'occasione perfetta per provare la vellutata di zucca e riso che si cuoce da sola. Ricetta di Mirella, storica amica di mia madre: una vera rivelazione! Ci siamo seduti a tavola ed era perfetta.*

## Minestra di zucca che si cuoce da sé     4 👤

- 500 g di zucca
- 1 patata
- 1 cipolla piccola
- ½ dado di carne
- 4 cucchiai di riso
- grana
- olio extravergine
- sale e pepe

Pulire la zucca e tagliarla a pezzi. Fare lo stesso con la patata e la cipolla. Mettere tutto in una casseruola con il dado e il sale e coprire a filo con l'acqua. Far cuocere finché le verdure non saranno morbide. Frullare la zuppa facendo però attenzione a lasciare intero qualche pezzo di zucca e patata. Unire il riso e riportare la zuppa a bollore solo per cinque minuti. A questo punto, togliere la casseruola dal fuoco, mettere il coperchio e aspettare 1 o 2 ore. Trascorso questo tempo il riso si sarà cotto con il calore della zuppa e l'intera preparazione avrà raggiunto la temperatura ideale per essere gustata accompagnata da una spolverata di grana. Se necessario, far intiepidire sul fuoco prima di servire.

*A casa nostra nel weekend si fa una colazione abbondante tardi, tra le dieci e mezzo e le undici. Le bambine amano mangiare un bel toast con sottiletta e prosciutto cotto accompagnato da una spremuta d'arancia e qualche biscotto. In questo modo spesso il pranzo slitta nel primo pomeriggio e si trasforma in una ricca merenda. Se oggi restiamo a casa, sento che mi toccherà fare una torta...*

*10 ottobre*
*Merenda della domenica*

*P.S. Altro che torta per la merenda! Alla fine ho fatto un meraviglioso crumble di mele, velocissimo e buonissimo, che abbiamo fatto intiepidire e gustato con gelato alla vaniglia. Divino anche a fine cena!*

## Crumble di mele

6 👤

- 3 mele golden
- 50 g di nocciole
- 200 g di farina
- 100 g di zucchero di canna
- 1 cucchiaino di cannella
- noce moscata
- 120 g di burro
- sale

Sbucciare le mele, tagliarle a pezzetti e distribuirle sul fondo di una teglia foderata di carta da forno. Mescolare in una ciotola la farina, lo zucchero, la cannella, un pizzico di sale, le nocciole tritate grossolanamente e una grattata di noce moscata. Unire il burro a pezzetti e lavorare l'impasto con le mani fino a ottenere delle briciole. Distribuire l'impasto sbriciolato sulle mele e schiacciare con il palmo della mano in modo da ottenere una crosta uniforme. Mettere la teglia in forno a 180° e cuocere per 30 minuti. Il crumble si può servire tiepido direttamente nella teglia e accompagnato da gelato alla vaniglia. Attenzione: siccome è molto friabile, non dovete pretendere che si presenti perfettamente integro. Una volta che le avrete distribuite nei piatti, le mele si mescoleranno alle briciole di crumble creando un irresistibile 'pasticcio' da gustare col gelato.

*11 ottobre*
*Pasta al*
*forno della*
*domenica*

*Oggi siamo stati a pranzo da Giusi che ci ha cucinato il vero pranzo della domenica: cannelloni, sia verdi che al ragù, arrosto e torta! No, la torta non l'ho preparata io... Ammetto la mia pigrizia. Sono stata addirittura tentata di portare il mezzo crumble avanzato, poi fortunatamente ho optato per una buona bottiglia di vino. Che vergogna! Del resto, con tre bambini, carrozzina e senza marito (Fabio era a Bergamo per una telecronaca), come avrei potuto trasportare anche un dolce?! Le bambine erano felicissime, anche perché i cannelloni io non li faccio quasi mai. Come alternativa cucino i conchiglioni ripieni che mi ha insegnato Piera: sono più veloci, ma il gusto è davvero speciale.*

# Conchiglioni ripieni 4

- 300 g di conchiglioni
- 4 cubetti di biete surgelate
- 2 uova
- 100 g di grana
- noce moscata
- 200 g di besciamella

- qualche cucchiaio di passata di pomodoro
- latte
- burro
- sale e pepe

Lessare i conchiglioni e, a parte, anche le biete. Scolare le biete, strizzarle un po', ma non troppo, poi tritarle nel mixer e versarle in una ciotola. Unire le uova, il grana, una grattata di noce moscata, la besciamella, aggiustare di sale e di pepe e amalgamare il tutto. Scolare i conchiglioni e distribuirli sul fondo di una teglia unta o foderata di carta da forno, sistemandoli molto vicini tra loro e con la parte concava rivolta verso l'alto. Riempirli con il ripieno preparato, senza preoccuparsi troppo se cola anche fuori dai conchiglioni. Formerà un unico strato ancora più goloso. Distribuire sulla superficie qualche cucchiaiata di salsa di pomodoro (se vi piace abbondate pure) per colorire e condire il piatto. Bagnare il tutto con un po' di latte per ammorbidire la farcia e facilitare la cottura. Completare con una spolverata di grana e qualche fiocchetto di burro. Far gratinare in forno a 180° finché non si forma una deliziosa crosticina.

*Nel frigorifero ho decisamente troppe uova! Le avevo comprate con l'intento di sperimentare dei dolci che non ho mai avuto occasione di cucinare. Che pigra! E pensare che tra poco più di una settimana si torna in onda. Comunque, invece della solita*

*15 ottobre*
*Invece*
*della frittata*

frittata, ho fatto una specie di rollè, molto buono e anche bello da vedere. Lo ha mangiato persino Matilde, che solitamente non ama le uova.

## Rotolo di spinaci e mozzarella 4 🧍

- 200 g di spinaci surgelati
- ½ mozzarella
- 5 uova
- 2 cucchiai di grana grattugiato
- sale

Lessare gli spinaci poi strizzarli bene e sminuzzarli. Tagliare a pezzetti la mozzarella. Rompere le uova in una ciotola, aggiungere il grana e sbattere per amalgamare il composto. Salare e versare in una teglia foderata di carta da forno che avremo precedentemente bagnata e strizzata. Mettere in forno a 180° e far cuocere per 10 minuti. Staccare delicatamente la frittata dalla carta da forno lasciandola però sempre appoggiata su quest'ultima. Coprire con gli spinaci, la mozzarella e un pizzico di sale. Arrotolare la frittata dal lato più stretto e avvolgere il rotolo nella carta da forno usata per la cottura, creando una specie di caramella. Mettere il rotolo in forno per 15 minuti, sempre a 180°. Togliere dal forno, lasciare intiepidire prima di scartare e tagliare a fette.

22 ottobre
festa di
compleanno

*Venerdì compleanno di Eleonora. Quest'anno festa doppia, ci sarà anche un amichetto: Federico. Così io e sua madre Daniela ci siamo divise i compiti. Lei farcirà i panini (tra l'altro fa un'ottima mousse di prosciutto cotto), che piacciono tanto ai bambini, e comprerà le pizzette. Io mi occuperò delle torte e di eventuali stuzzichini da offrire alle mamme. Per l'occasione la mia amica*

*Antonia mi ha fatto provare la sua mitica torta al cioccolato pre-*
*parata con la ricotta e Daniela mi ha passato la ricetta della sua*
*mousse.*

## Mousse di prosciutto          10 panini circa

• 30 g di olive verdi denocciolate
• 130 g di prosciutto cotto
• 50 g di panna fresca o latte
• 50 g di robiola (2 cucchiai abbondanti)

Mettere nel bicchiere del mixer le olive con il prosciutto
e la robiola. Frullare il tutto. Aggiungere poco per volta
la panna o il latte e continuare a frullare fino a ottenere la
consistenza desiderata.

## Torta sbriciolata di ricotta e cioccolato     6 👤

*per la base*
• 300 g di farina
• 100 g di zucchero
• 100 g di burro
• 1 uovo
• 1 bustina di vanillina
• 1 busta di lievito chimico
• sale

*per il ripieno*
• 500 g di ricotta
• 150 g di zucchero
• 100 g di cioccolato fondente

Versare in una ciotola la farina, lo zucchero, la vanillina,
il lievito e il sale. Mescolare bene e unire il burro sciolto.
Iniziare a lavorare l'impasto con le mani; unire anche
l'uovo, sempre lavorando con le mani, fino a ottenere

delle grosse briciole. Ricoprire il fondo di una tortiera, foderata di carta da forno, con ¾ delle briciole, in modo da formare uno strato abbastanza spesso. A parte, mescolare la ricotta con lo zucchero fino a ottenere una crema. Tritare grossolanamente il cioccolato e unirlo alla crema. Ricoprire le briciole distribuite sul fondo della tortiera, con questa crema, e completare cospargendo con il resto delle briciole tenute da parte (deve risultare uno strato più sottile e meno compatto di quello alla base). Mettere in forno a 180° e cuocere per 30 minuti. Per facilitare la cottura della base lasciare in forno qualche minuto con la funzione di 'calore solo sotto'.

26 ottobre
Cenetta
autunnale

*Questa sera ho cucinato proprio una bella cenetta! Sono così contenta quando riesco a preparare qualcosa di nuovo per stupire la famiglia. Naturalmente non posso pretendere che tutti i piatti piacciano a tutti: qualcuno che diserta c'è sempre. Per esempio, Eleonora, che ama tanto i funghi, non ne ha voluto sapere della mia vellutata di champignon, mentre Matilde, che solitamente non li apprezza, l'ha divorata. Ma la rivelazione è stata la salsa per l'arrosto che mi ha suggerito la mia amica Roberta Noè, giornalista sportiva, mamma e cuoca (la prova lampante che una donna può muoversi con la stessa agilità e sicurezza tra i fuorigioco di un posticipo e i fornelli della sua cucina). Insomma, una deliziosa salsa di castagne e prugne che si accompagna divinamente all'arrosto e si prepara senza fare la minima fatica... Cosa non da poco! Ma che arrosto è senza le patate al forno?*

## Vellutata di funghi                    4 ♟

- 450 g di champignon surgelati
  già affettati
- 1 scalogno
- 1 patata
- 1 pezzetto di dado

- 100 ml di panna fresca
- prezzemolo
- olio extravergine
- sale e pepe

Affettare sottilmente lo scalogno e soffriggerlo in una padella con un po' d'olio, poi aggiungere i funghi surgelati
e lasciar insaporire. Aggiungere anche la patata tagliata a
tocchetti e il dado, diluire con un mestolo d'acqua e aggiustare di sale. Lasciar cuocere per circa 30 minuti a fuoco
dolce. Una volta che la zuppa è cotta, togliere dal fuoco e
mettere da parte qualche piccolo funghetto di guarnizione. Aggiungere la panna e frullare fino a trasformare la
zuppa in una crema densa e omogenea. Servire in coppette guarnite con qualche fungo e una foglia di prezzemolo,
e completare con una macinata di pepe.

## Arrosto con salsa di castagne       4-6 ♟

- 800-900 g di fesa di vitello
  (codone)
- 1 scalogno
- 150 g di castagne già bollite
- 5 prugne secche denocciolate
- 1 foglia di alloro

- 1 bicchiere di vino rosso
  (lambrusco o altro di vostra
  preferenza)
- ½ bicchiere di latte
- olio extravergine
- sale e pepe

Rosolare il pezzo di fesa di vitello in una casseruola con
un po' d'olio. Quando è dorato su tutti i lati, aggiungere lo

scalogno tagliato sottile, le castagne bollite (si trovano già cotte e confezionate), le prugne, il sale e il pepe e lasciare insaporire per pochi minuti. Sfumare con il vino, aggiungere l'alloro e cuocere, dolcemente, a tegame coperto per circa 1 ora. Tagliare l'arrosto a fette. Versare nel bicchiere del mixer metà del fondo di cottura e frullarlo con il latte. Riunire poi la parte frullata al resto del fondo e condire l'arrosto con questa salsa.

*P.S.*

---

*Se avete una pietanza già pronta, potete cucinare solo la salsa, senza la carne, e aggiungerla all'ultimo momento come contorno o salsina.*

---

## Patate al forno                                    4 🧑

- 500 g di patate
- aglio e rosmarino (facoltativi)
- olio extravergine
- sale

Disporre le patate, tagliate a rondelle o tocchetti non troppo grandi, sulla placca del forno, irrorare con abbondante olio e salare (se volete potete aggiungere uno o due spicchi d'aglio e qualche ago di rosmarino). Mettere in forno con funzione ventilata a 200° e cuocere per circa 30 minuti, rigirando le patate verso metà cottura in modo che non brucino. Una volta cotte toglierle dal forno e conservarle coperte con un foglio di alluminio per mantenere il calore.

*Ieri non ho resistito alla tentazione di comprare dei bei funghi porcini, freschissimi. Ormai la stagione sta finendo e queste sono le ultime delizie dell'anno. Avevo voglia di gustarmeli al cento per cento! Niente risotto o tagliatelle, ho optato per questa semplicissima ricetta tipicamente ligure: funghi e patate. Meravigliosi. Fanno una gran figura e possono essere un perfetto antipasto o un secondo anche in una cena importante. In questo caso però me li sono mangiati praticamente tutti io...*

*27 ottobre*
*Funghi al*
*100%*

## Patate e funghi

4

* 6 funghi porcini
* 2 patate
* olio extravergine
* origano
* sale e pepe

Tagliare i funghi a fette non troppo sottili nel senso della lunghezza per mantenere la forma del fungo; tagliare invece sottilmente le patate, altrimenti non cuoceranno mai. Stendere su una teglia foderata di carta da forno uno strato di patate leggermente sovrapposte e condire con olio, sale e pepe. Ricoprire lo strato di patate con i funghi e condire ancora con olio, sale, pepe e origano. Mettere in forno e cuocere a 180° per circa 20 minuti, fino a che i funghi e le patate non saranno cotti e leggermente abbrustoliti. Per i palati più raffinati si possono usare anche soltanto le cappelle.

*Ho avanzato un po' di gambi di funghi porcini, quelli meno belli: sono perfetti per una super frittata. In alternativa, i gambi di porcino si conservano benissimo anche nel freezer. Quando ne ho una bella scorta, scatta un bel risottino!*

*28 ottobre*
*Avanzo*
*prelibato*

## Frittata di funghi 4 👤

- 4 gambi di porcini (se sono piccoli, anche 6)
- 1 cipolla
- 5 uova
- 50 g di grana
- 1 ciuffo di prezzemolo
- olio extravergine
- sale e pepe

Pulire i gambi dei funghi spazzolandoli o raschiandoli con un coltellino (anche se è poco ortodosso, io li passo direttamente sotto l'acqua per lavarli, altrimenti la terra non viene mai via). Tagliarli a tocchetti e farli rosolare con un po' d'olio insieme alla cipolla tagliata fine. Una volta cotti, trasferire il tutto in una ciotola, aggiungere 3 uova intere e 2 tuorli e amalgamare. Montare a neve gli albumi avanzati. Aggiungere al composto il grana, il prezzemolo tritato e gli albumi montati a neve. Aggiustare di sale. Ungere nuovamente la padella dove sono stati cotti i funghi e versarvi il composto preparato. Cuocere finché la frittata non si sarà rappresa da un lato, quindi girarla, aiutandosi con un coperchio, e cuocerla anche dall'altro lato (per far più in fretta e con ottimi risultati, mi sono comprata la padella doppia: da allora sono diventata la regina delle frittate!).

### P.S.

*Quando ho della verdura lessata che mi avanza faccio spesso una frittata. Il segreto per renderla saporita è unire sempre alle verdure un bel soffritto di cipolla, tanto grana e, se ce l'avete, uno o due cucchiai di ricotta o di robiola o di qualche altro formaggio morbido per rendere il tutto più cremoso. Se le verdure sono scarse, aggiungete anche una patata lessa, che sta sempre bene!*

*Questa sera le bambine hanno festeggiato Halloween con un giorno di anticipo, ma va bene lo stesso. Io e Fabio siamo rimasti da soli con il piccolo Diego mentre quelle due streghette giravano con le amiche per il palazzo in cerca di caramelle. Un'ottima occasione per gustarci in pace una bella gricia, tipica pasta romana. Un'amatriciana in bianco che si cucina nel tempo in cui lessa la pasta.*

*30 ottobre*

*Una sera senza streghe*

## Pennette alla gricia

4

- 300 g di pennette
- 350 g di pancetta dolce a cubetti
- pecorino romano grattugiato
- olio extravergine
- sale e pepe

Lessare la pasta in acqua salata. Versare in una padella pochissimo olio e farvi rosolare la pancetta dolce fino a che non è abbrustolita e profumata. Scolare la pasta e farla saltare con la pancetta in modo che acquisti sapore. A fuoco spento incorporare abbondante pecorino romano e pepe. Servire subito.

### P.S.

*Se volete seguire la tradizione al posto della pancetta dolce usate il guanciale.*

*Oggi è sabato ed è Halloween sul serio. Fabio lavora e io e le bambine siamo state vergognosamente tutto il giorno appicciate alla TV a guardare film e cartoni dell'orrore. Per non interrompere la nostra maratona, verso le due ho preparato dei toast squisitissimi che mangiavo sempre a Forte dei Marmi d'estate. Chissà*

*31 ottobre*

*Sabato di... sabba!*

come mi sono tornati in mente. Fortunatamente avevo nel frigorifero tutto l'occorrente. Tocco finale: vere patatine chips. Un pomeriggio sublime.

## Toast stracchino e piselli con patatine chips

*Dosi a piacere*
- pane da toast
- scalogno
- piselli surgelati o in scatola

- stracchino o formaggino Mio
- dado granulare di carne
- sale e pepe

*per le patatine*
- patate

- olio per friggere

Tagliare lo scalogno a fettine, farlo cuocere in un tegame con i pisellini surgelati, un po' d'acqua, un po' di dado e un po' di sale. Quando i pisellini sono morbidi, toglierli dal fuoco e scolarli (se non volete lessare i piselli usate quelli in scatola). Stendere uno spesso strato di stracchino su una fetta di pane, ricoprire con uno strato di piselli e premere bene con il cucchiaio in modo che si appicchichino allo stracchino. Non importa se si schiacciano un po'. Spalmare di stracchino anche l'altra fetta di pane, però con uno strato più sottile. Condire con un po' di pepe, chiudere il toast e metterlo nel tostapane avvolto nella carta stagnola, così il formaggio non cola. Una volta caldo e leggermente tostato tagliare in due triangoli e servire. Un avvertimento: un panino solo non vi basterà! Per preparare le chips tagliare le patate a fettine il più sottili possibile, sciacquarle in acqua fredda, asciugarle bene e poi friggerle in abbondante olio oppure passarle in forno caldissimo, leggermente unte d'olio, disposte abbastanza distanziate sulla placca ricoperta di carta da forno.

# NOVEMBRE

*Va bene, ormai il freddo è ufficialmente arrivato. Fuori fa buio presto e Natale è ancora lontano. Meglio rassegnarsi ad affrontare l'inverno con l'aiuto di buone torte e piattini appetitosi e saporiti.*

Torta di pere, cocco e cioccolato

Tagliatelle alle sogliole

Ciambella di ricotta e arancia

Melanzane impanate

Torta di mais con crema al caffè

Ossibuchi con cremolada

Arroz con pollo

Lasagne al radicchio

Straccetti di pollo al verde

Bruschette saporite

Involtini modenesi all'aceto balsamico

Vellutata di carote e pomodorini secchi

Calzone farcito di würstel

Terrina di salmone e patate

Pomodorini gratinati

Arance caramellate

Mini banana split

*Quel che si dice una torta sontuosa! Per i Santi siamo andati a pranzo ad Alessandria da mia madre e, per quanto lei avesse insistito che non cucinassi, io non ho resistito e ho fatto bene. La mia torta di pere, cocco e cioccolato è qualcosa di paradisiaco che, per restare in tema, resusciterebbe anche i morti!*

## Torta di pere, cocco e cioccolato     6 &#9823;

- 3 uova
- 100 g di zucchero
- 250 g di farina
- 20 g di cacao amaro
- 1 bustina di lievito
- 2 dl d'olio di semi di arachidi
- 3 cucchiai di cocco disidratato
- 4 pere
- un pizzico di sale

In una terrina amalgamare le uova con lo zucchero. Mescolare insieme la farina, il cacao e il lievito e aggiungerli alle uova sbattute. Unire l'olio e continuare a mescolare. Aggiungere anche un pizzico di sale e 2 cucchiai di cocco. Amalgamare il tutto e stendere l'impasto in una tortiera foderata di carta da forno. Sbucciare le pere, tagliarle a spicchi e poi a fettine sottili. Distribuire le fettine a raggiera nell'impasto formando un motivo decorativo e spolverizzare con 1 cucchiaio di cocco e 1 di zucchero. Mettere a cuocere in forno a 180° per 30 minuti.

*Oggi è ricominciato Cotto e mangiato. È stato bello tornare a girare nella mia cucina. La nostra squadra è piccola ma ben affiatata. Siamo in tre: io che cucino, Mauro il cameramen che tiene la telecamera a spalla, e Teo il fonico che controlla l'audio e la telecamera fissa. 5 ricette una dietro l'altra e una pausa per assaggiare un po' dei miei manicaretti. Non so come ho*

*fatto, con il pancione, a tenere questi ritmi gli ultimi mesi del-
la scorsa edizione. Oggi è stato decisamente più semplice, ma
comunque faticoso. Alla fine, non paga di aver cucinato tutto il giorno per la rubrica, ho provato a fare le tagliatelle alle
sogliole di Giovanna, cuoca romagnola di prim'ordine! Sono
risultate squisite perché le sogliole rendono il sugo burroso e
ricchissimo. Sfogliando i miei vari libri di cucina, poi ho trovato un'idea sfiziosa. Sciogliere nell'acqua di cottura due bustine di zafferano in modo da ottenere delle tagliatelle gialle e
deliziosamente aromatizzate. Peccato che non avessi nemmeno
una fogliolina di prezzemolo. Ho ovviato con l'erba cipollina e
forse alla fine è venuta ancora meglio.*

## Tagliatelle alle sogliole      4 🧑

- 250 g di tagliatelle all'uovo
- 3 sogliole
- 3 spicchi d'aglio
- olio extravergine
- erba cipollina
- zafferano
- sale

Fare lessare in un po' d'acqua le sogliole, nella stessa padella dove poi si preparerà il sugo. Quando sono cotte,
trasferirle in un piatto e pulirle in modo da ricavarne solo
i filetti. Eliminare l'acqua di cottura delle sogliole, versare
l'olio nella padella e farvi soffriggere l'aglio schiacciato.
Appena l'aglio si è ammorbidito unire i filetti di sogliola
e farli rosolare fino a che non saranno insaporiti e ridot-
ti a piccoli pezzi. Regolare di sale. Versare lo zafferano
in una pentola d'acqua e mettervi a lessare le tagliatelle.
Aggiungere un mestolino d'acqua di cottura nel sugo di
sogliole lasciando cuocere ancora un minuto. Aggiungere

l'erba cipollina, scolare la pasta e farla saltare in padella con il condimento. In alternativa, se comprate i filetti di sogliola già sfilettati, potete infarinarli e rosolarli direttamente in padella con aglio, olio e sale, e sfumare poi con un po' d'acqua di cottura della pasta. Completare alla stessa maniera lessando la pasta e facendola saltare in padella insieme alle sogliole delicatamente spezzettate.

### P.S.

*Una volta cotte e sfilettate, le sogliole sono buonissime anche mescolate insieme al pesto alla genovese. Potete usare anche un pesto pronto! (Una vera rivelazione di cremosità e sapore sperimentata a casa di Giulia.)*

**4 novembre**
**Un caso**
**fortunato**
*Oggi mi sentivo in vena di sperimentazioni... Cosa veramente rara, perché di solito io seguo diligentemente le ricette. Dovevo provare una ciambella all'arancia ma, invece dello yogurt (che non avevo, anzi, ce l'avevo ma era scaduto!), ho messo la ricotta. Una bontà!*

## Ciambella di ricotta e arancia               6 👤

• 80 g di ricotta
• 100 g di zucchero
• 4 uova
• il succo di un'arancia spremuta
• 170 g d'olio di semi di arachidi

• 330 g di farina
• 2 cucchiaini di lievito per dolci
• 1 bustina di vanillina
• un pizzico di sale

Mettere la ricotta in una terrina e lavorarla con lo zucchero in modo da renderla cremosa, aggiungere le uova, poi la spremuta di un'arancia e mescolare bene. Unire anche l'olio 'a filo' (cioè versandone 'un filo' senza interrompere il flusso e senza smettere di mescolare) e in ultimo la farina mescolata con il sale, la vanillina e il lievito. Imburrare e infarinare una tortiera ad anello e versarci l'impasto. Mettere in forno a 180° e cuocere per 20 minuti.

*Ricetta della mia mamma in alternativa alle cappelle fritte di porcini. Lei dice sempre che i funghi, anche quelli commestibili, hanno una percentuale di tossicità che li rende indigesti. Per questo preferisce le melanzane che, a suo dire, hanno un gusto molto simile, anzi migliore... Insomma, la sua ricetta consiste nell'impanare le melanzane come fossero cappelle di porcini, ma, invece di friggerle nell'olio, lei le mette in forno. Ebbene, come tutte le mamme... aveva ragione! Sono venute davvero ottime e leggere. Molto meglio che fritte. Ne ho fatte due teglie e sono andate via come le ciliegie. Brava mamma!*

*6 novembre*
*Melanzane che si credono funghi*

## Melanzane impanate                4 👤

- 2 melanzane
- 2 uova
- 150 g di pangrattato
- 2 cucchiaini di grana
- un cucchiaino di sale
- olio extravergine

Tagliare le melanzane a fette di circa 1 cm di spessore, sbattere le uova in una fondina e mescolare a parte il pangrattato con il grana e il sale. Passare le fette di melanzana prima nell'uovo poi nel pangrattato e adagiarle sul fondo di una teglia foderata di carta da forno senza sovrapporle. Condire con un filo d'olio, mettere in forno ventilato a 180° circa e lasciare cuocere per un quarto d'ora. A metà cottura girarle.

*Finalmente ho trovato la ricetta giusta per la torta con la farina di mais. Lo ammetto, ho provato a farla mille volte perché quella sensazione un po' scrocchierella che dà la farina gialla mi piace da matti... ma ho sortito sempre esiti pessimi. Poi la rivelazione! Ci sono diversi tipi di farina per la polenta: taragna, bramata, fioretto... Quest'ultima, la fioretto, è la più fine e dunque la più adatta alle torte. Peccato che a me non l'avesse mai detto nessuno! E dunque cucinavo sempre torte quasi immangiabili. Comunque, risolto il mistero, ecco la ricetta arricchita anche di un'ottima crema al caffè: un particolare che la nobilita e la promuove a dolce per il dessert. Devo dire che la tortina tiepida con la crema sopra è davvero notevole. Dopo tanta fatica, me la sono meritata... E, a proposito, occhio alla farina che scegliete.*

## Torta di mais con crema al caffè          6 🡒

- 110 g di burro
- 200 g di zucchero
- 3 uova
- 160 g di farina di mais fioretto
- 210 g di farina bianca
- 1 bustina di lievito
- 1 bustina di vanillina
- un pizzico di sale

*per la crema*
- 2 dl di caffè
- 50 g di latte
- 2 tuorli
- 125 g di zucchero
- 25 g di farina

Fare sciogliere il burro, unirlo allo zucchero e mescolare bene. Aggiungere le uova e continuare a mescolare. A parte miscelare le farine insieme al lievito, alla vanillina, al sale e incorporare il tutto all'impasto fino a ottenere un composto liscio e omogeneo. Trasferire in una tortiera foderata di carta da forno. Lasciar riposare un quarto d'ora poi infornare a 180° e cuocere per 30 minuti. Mentre la torta cuoce, preparare la crema. Mescolare il latte e il caffè e fare scaldare. Sbattere i tuorli con lo zucchero, aggiungere la farina e versare poi a filo il latte e caffè caldo. Rimettere sul fuoco a calore moderato mescolando finché la salsa non è addensata. Servire ogni fetta di torta, tiepida, accompagnata da qualche cucchiaiata di salsa.

*Quanto mi piacciono le serate in cui è Fabio a prendere in mano le redini della cucina. Dopo una settimana di insistenza, questa sera finalmente si è esibito in uno dei suoi piatti più gloriosi: gli ossibuchi, ovvero «le bistecche di Alex il leone» (vedi Madagascar), come le chiamano le bambine. A volte io intervengo per completare l'opera con un risottino giallo. Questa volta invece abbiamo accompagnato gli ossibuchi con un bel purè... la morte sua!*

*9 novembre Chef per una sera!*

## Ossibuchi con cremolada                    4 👤

- 4 ossibuchi circa 800 g
- 100 g di trito di verdure
  per soffritto surgelate
- farina
- 1 bicchiere di vino bianco
- brodo di carne fatto
  con il dado
- 1 cucchiaio di concentrato
  di pomodoro

- olio extravergine
- sale

*per la cremolada*
- 1 noce di burro
- 1 spicchio d'aglio
- 1 o 2 acciughe
- la scorza grattugiata
  di ½ limone
- 1 ciuffo di prezzemolo

Rosolare il trito di verdure in una padella con un po' d'olio. Infarinare gli ossibuchi e farli dorare a fuoco vivace (potete farli rosolare in un'altra padella e aggiungerli poi al trito già rosolato, oppure unirli subito al trito stando attenti che le verdure non brucino). Quando la carne è dorata, salare e sfumare con il vino. Evaporato il vino, aggiungere il brodo fino a coprire gli ossibuchi, unire anche il concentrato di pomodoro e cuocere dolcemente facendo restringere il fondo di cottura. Aggiungere altro brodo e continuare la cottura fino a che la carne non sarà tenerissima e il fondo quasi asciugato. Separatamente preparare la cremolada rosolando dolcemente, nel burro, l'aglio schiacciato insieme all'acciuga e alla scorza del limone. Quando l'acciuga è sciolta, eliminare l'aglio e versare la cremolada sulla carne ormai cotta, cospargere di prezzemolo tritato, cuocere ancora pochi minuti e servire.

*11 novembre* *Solo tre parole: Arroz con pollo. Un piatto davvero delizioso che*
*Ecuador* *arriva dal Sudamerica, infatti l'ho imparato da Carmen, che è*
*in tavola* *ecuadoriana. Si tratta di una preparazione a base di riso e pollo,*
*simile a una paella di terra. Questa sera Fabio aveva invitato*
*a casa alcune persone che dovevano fargli un'intervista su un*
*documentario dedicato ai mondiali. Mai avrebbe pensato – ca-*
*meramen, autori e regista – che, dopo aver girato, avrebbero tro-*
*vato una tavola imbandita ad aspettarli... Ma, a casa mia, se sei*
*fortunato e capiti nella serata giusta, è così!*

## Arroz con pollo                                6-8 🧑

- 1 pollo
- 1 carota
- 1 costa di sedano
- 2 cipolle
- 1 peperone rosso
- 350-400 g di riso da risotto

- 200 g di piselli surgelati
- 1 bustina di zafferano
- prezzemolo
- olio extravergine
- sale e pepe

Con un buon anticipo far lessare il pollo, privato della pelle, con la carota, il sedano, 1 cipolla e sale. Quando il pollo è cotto, toglierlo dal brodo (che deve essere conservato), spolparlo e tagliare la carne a striscette (si può sfilacciare anche con le mani). In una padella molto larga, tipo quella per la paella fare un bel soffritto con l'altra cipolla tritata finemente e qualche cucchiaio d'olio. Nel momento in cui la cipolla ha preso colore aggiungere il peperone tagliato a listarelle sottili e fare rosolare. Quando il condimento è a buon punto, aggiungere il riso, farlo insaporire e incominciare a bagnare con il brodo del pollo come si fa per un risotto. Circa a metà cottura del riso, aggiungere anche i pezzetti di pollo lessato (regolatevi a occhio: se vi sembra troppo, non mettetelo tutto), i piselli e lo zafferano. Aggiustare di sale e portare a cottura continuando a bagnare con il brodo finché il riso sarà pronto. L'arroz non va mescolato molto, anzi, quando è cotto, prima di spegnere, bisogna alzare il fuoco e lasciarlo cuocere qualche minuto senza toccarlo in modo che il fondo caramelli un po' e si scurisca, e che il riso diventi proprio croccante. Sono quelle le porzioni più ambite.

*Ho vinto! Finalmente sono riuscita a trovare le proporzioni giuste per le lasagne al radicchio. La prima volta sono venute troppo viola, la seconda troppo asciutte. Questa volta invece si sono rivelate meravigliosamente filanti, deliziosamente amaro-*

13 novembre
Come sul
Canal
Grande...

53

gnole e irresistibilmente violette... Da provare! La ricetta arriva da Enrica, un'amica di mia madre che le ha assaggiate durante un'esclusivissima cena in un palazzo veneziano che si affaccia addirittura sul Canal Grande... Una roba pazzesca! Va be', secondo me servito in un cornice del genere, è buono anche un tozzo di pane secco!

## Lasagne al radicchio 2🧍

- 1 cespo di radicchio rosso di Chioggia
- 1 cipolla rossa
- 200 g di stracchino
- latte
- pasta per lasagne (quella che non è necessario lessare)
- scamorza affumicata
- olio extravergine
- sale

Affettare la cipolla e farla appassire in padella con un po' d'olio. Aggiungere il radicchio tagliato a listarelle e farlo stufare dolcemente. Regolare di sale. Se necessario, aggiungere un po' d'acqua. Una volta cotto, versarlo nel bicchiere del mixer, conservando a parte alcune listarelle di radicchio stufato da usare per la guarnizione finale. Aggiungere lo stracchino e il latte poi frullare in modo da ottenere una crema morbida. Comporre le lasagne usando una teglia non troppo grande delle stesse dimensioni della sfoglia. Incominciare versando sul fondo una cucchiaiata di crema al radicchio, poi alternare la sfoglia, la crema al radicchio e abbondante scamorza affumicata grattugiata con la grattugia dai fori grossi (quella per la carota). Completare con la crema al radicchio, le listarelle di radicchio conservate in precedenza e altra scamorza, questa volta non grattugiata ma tagliata a fettine sottili. Mettere in forno a 180° per 20 minuti. Meglio non far gratinare la superficie, altrimenti scurisce troppo (è sufficiente che il formaggio si sciolga dolcemente). Se necessario, coprire con un foglio di alluminio.

*Questa sera Fabio aveva voglia di pizza, ma la piccola Eleonora è ancora convalescente da una lunga influenza, dunque niente da fare, siamo rimasti a casa. Per compensare la delusione del progetto mancato, ho sperimentato un po' di buoni piattini da utilizzare per Cotto e mangiato. Alle bambine sono piaciuti moltissimo gli straccetti al verde. Un modo veloce, saporito e originale di cucinare i petti di pollo. La furbizia sta nel fatto che si evita di impanare la carne buttando il pangrattato direttamente in padella durante la cottura. Ricetta che mi ha regalato la mia collega e amica Monica Gasparini che oggi è passata a fare un saluto in redazione. Quello che si dice un incontro proficuo!*

16 novembre
Un nuova
ricetta
per il pollo

## Straccetti di pollo al verde 4 👤

- 4 fette di petto di pollo
- 2 spicchi d'aglio
- 4 cucchiai di pangrattato
- 4 cucchiai circa di prezzemolo tritato
- 1 limone
- 2 cucchiai di grana grattugiato
- olio extravergine
- sale

Tagliare il petto di pollo a striscioline. In una padella far imbiondire l'aglio con qualche cucchiaio d'olio, poi rosolarvi il pollo. A cottura quasi ultimata sfumare con il succo del limone (anche un po' meno se non amate troppo il gusto aspro) e infine spolverizzare con pangrattato e prezzemolo. Fare saltare gli straccetti a fuoco vivace, giusto il tempo che l'impanatura si attacchi alla carne. Spegnere il fuoco, condire con il grana e far saltare ancora un attimo. Servire caldo.

*19 novembre* — *Oggi Giusi mi ha regalato una buona idea: uno spuntino veloce,*
*Uno strappo* — *ma davvero molto saporito: barchette di salsiccia. Tutto in forno,*
*alla regola* — *pronto in pochi minuti: mentre il formaggio si scioglie dolcemente, la carne incomincia ad abbrustolire e il profumo si diffonde nella casa. Va be', non è un piatto leggero, ma questo pomeriggio le bambine hanno fatto nuoto, si sono stancate e dunque... gustarsi un po' di squisita salsiccia non farà loro male.*
*P.S. Devo ricordarmelo anche per un bell'aperitivo rinforzato insieme a formaggi, salumi e buon vino rosso da servire davanti al camino...*

## Bruschette saporite 4

• 200 g di salamella o salsiccia
• 150 g di stracchino
• pane toscano
• origano o salvia per guarnire

Eliminare il budello esterno della salamella e mescolare la carne macinata con lo stracchino. Amalgamare bene il tutto con una forchetta e distribuire abbondantemente il composto sulle fette di pane tagliate a metà (altrimenti verranno delle barcone un po' troppo pesanti e impegnative!!). Spolverizzare con origano oppure con foglie di salvia spezzettate. Mettere in forno ventilato a 200° e cuocere per poco tempo. Appena il formaggio è sciolto e la salamella cotta, togliere dal forno e servire.

*Fino a oggi pensavo che nessun involtino, per quanto buono, potesse uguagliare i saltimbocca alla romana di Laura, mia suocera. Da oggi invece esiste un degnissimo rivale, l'involtino modenese: carne di maiale, pancetta, scaglie di parmigiano e aceto balsamico. Veramente una bontà sopraffina, che mi ha fatto scoprire Terri, che ringrazio.*

*20 novembre*
*Involtini*
*da urlo!*

## Involtini modenesi all'aceto balsamico

4 👤

- 10 fette di lonza di maiale tagliata sottile
- 10 fette di pancetta arrotolata
- parmigiano reggiano a scagliette
- farina
- olio extravergine
- aceto balsamico
- ½ bicchiere di brodo fatto con il brodo granulare
- sale

Preparare gli involtini utilizzando per ognuno metà fetta di lonza e metà fetta di pancetta. Stendere la fettina di lonza, adagiarvi sopra la fettina di pancetta e, per completare, appoggiare nel mezzo una scaglietta di parmigiano. Arrotolare il tutto e chiudere l'involtino con uno stuzzicadenti. Una volta preparati tutti gli involtini in questa maniera, infarinarli e farli rosolare in una padella a fuoco vivace con qualche cucchiaio d'olio. Quando saranno dorati su entrambi i lati, salare e sfumare con l'aceto balsamico (ne basterà una spruzzata), lasciar evaporare per un minuto e poi sfumare con poco brodo. Mettere il coperchio e cuocere ancora qualche minuto fino a che il sugo non si sarà ristretto un po', formando una deliziosa cremina di color nocciola.

*Ebbene sì, sarò monotematica, ma io d'inverno adoro mangiare le vellutate. È buffo vedere i vari componenti della famiglia, Fabio compreso, che si avvicinano dubbiosi alla tavola apparecchiata e guardano con sospetto il colore della minestra. Come sarà oggi? Verde? Spinaci? Rossa? Pomodoro? Marrone chiaro? Funghi? Va be', intanto è un piatto sano e nutriente. Il procedimento di base è sempre uguale, ma è il tocco finale che rende speciale ogni zuppa. Questa di carote, per esempio, si conclude con un tuorlo d'uovo e una guarnizione di pomodorini secchi. Cremosissima e squisita.*

## Vellutata di carote e pomodorini secchi

4 👤

- 300 g di carote (vanno bene anche surgelate)
- 1 patata media
- 1 scalogno
- 1 noce di burro

- 100 ml di panna fresca
- 1 tuorlo d'uovo
- 4 o 5 pomodorini secchi
- sale e pepe

Soffriggere dolcemente lo scalogno con il burro, aggiungere le carote e la patata sbucciate e tagliate a tocchetti. Coprire d'acqua a filo delle verdure, regolare di sale e lasciar cuocere fino a che carote e patate non saranno morbidissime. Spegnere il fuoco, frullare le verdure con il frullatore a immersione in mondo da formare una crema densa e omogenea e aggiungere la panna. In ultimo, mentre la vellutata è ancora fumante, unire anche il tuorlo d'uovo mescolando vigorosamente (cuocerà semplicemente con il calore della vellutata). Tagliare i pomodorini secchi a quadratini piccoli. Versare la vellutata nelle coppette o nelle fondine e completare con i pomodorini secchi e un po' di pepe.

*Questa sera avevo promesso alle bambine una cena a base di* *24 novembre*
*würstel ma non avevo il pane giusto per i classici hot dog, in* *Alternativa*
*compenso però in frigorifero c'era una bella pasta sfoglia. Detto* *all'hot dog*
*fatto! L'unico accorgimento per questo ottimo e sostanzioso cal-*
*zone è quello di prepararlo con un po' d'anticipo perché è buono*
*tiepido o freddo. Quando è caldo i sapori non si sentono e in più*
*ci scotta la lingua!*

## Calzone farcito di würstel    4-6 👤

- 1 rotolo di pasta sfoglia
  già pronta
- 2 würstel
- 2 patate medie
- 1 mozzarella
- sale e pepe

Stendere la sfoglia sulla base di una teglia foderata di carta
da forno. Tagliare i würstel a strisce nel senso della lunghezza e sistemarli sulla parte centrale della sfoglia lasciando libero il bordo esterno, altrimenti non si chiuderà.
Lessare le patate, sbucciarle, tagliarle a fette e distribuirle
sopra i würstel. Completare con la mozzarella tagliata a
pezzetti. Salare e pepare. Chiudere il calzone come fosse
uno strudel, ripiegando le due ali esterne verso il centro e
premendo bene in modo che non si apra. Sigillare anche le
due estremità come fosse una caramella, punzecchiare con
la forchetta e infornare a 180°. Lasciare cuocere fino a che
non sarà gonfio e dorato. Servire appena tiepido o freddo.

*Il battesimo di Diego si avvicina e io non ho ancora pensato a cosa* *27 novembre*
*preparare: che vergogna! Senza contare il fatto che quest'oggi ar-* *Chi ha*
*riveranno anche i miei suoceri e vorrei accoglierli con qualcosa di* *tempo...*
*buono... Visto che non sono dei mangioni e che con i bambini tra i*

piedi non si riesce mai a fare un pranzo come si deve, ho preparato tanti piccoli stuzzichini, un piatto di formaggi, che piacciono tanto a mia suocera Laura, e una terrina di patate e salmone che devo solo tirare fuori dal frigorifero e servire con una buona bottiglia di vino. Un piatto perfetto per non dover cucinare all'ultimo momento e fare una bella figura! Di rinforzo ho cucinato anche una teglia di pomodorini gratinati, molto saporiti. Fortunatamente i pomodori ciliegini sono dolci e saporiti tutto l'anno e si possono preparare in ogni stagione. Li ho serviti appena tiepidi: squisiti! Per finire, visto che entrambi mangiano volentieri la frutta ho studiato, diciamo, una piccola variante sul tema.

## Terrina di salmone e patate 4 🧍

- 800 g circa di salmone in un unico trancio
- 500 g di patate (3 patate medie)
- 1 bicchiere di vino bianco
- 2 scalogni
- il succo di mezzo limone
- 1 ciuffo di prezzemolo
- erba cipollina e altre erbe aromatiche a piacere
- olio extravergine
- sale

Lessare le patate con la buccia, scolarle, sbucciarle e poi passarle nello schiacciapatate o semplicemente schiacciarle con i rebbi della forchetta. Condirle con sale, il vino bianco e 2 cucchiai d'olio. Nel frattempo cuocere (bollito o al vapore) il trancio di salmone per circa 10 minuti unendo all'acqua di cottura gli scalogni affettati. Scolare il salmone, sminuzzarlo con la forchetta, mescolare insieme anche gli scalogni, condire con il succo del limone, il prezzemolo tritato e sale. Unire il salmone al purè di patate e amalgamare bene il tutto. Foderare con la pellicola da cucina uno stampo da plum-cake e versarci l'impasto. Schiacciare bene per livellarlo e lasciarlo riposare in frigorifero per un giorno intero. Sformare su un piatto da portata e servire guarnito con erba cipollina e altre erbe aromatiche a piacere.

## Pomodorini gratinati

4

- 25 pomodori ciliegini
- 100 g di pangrattato
- 25 g di grana
- origano
- olio extravergine
- sale e pepe

Scegliere una teglia che contenga perfettamente tutti i pomodorini tagliati a metà. Ricoprire la base con la carta da forno. Tagliare i pomodorini a metà, togliere un po' di polpa con l'aiuto di un coltello dalla punta tonda o di un cucchiaino e sistemarli nella teglia. Raccogliere la polpa in una ciotola, mescolarla con il pangrattato, il grana, l'origano, aggiustare di sale e pepe; completare con l'olio in modo da ottenere un composto fatto di briciole morbide, ma non troppo bagnate. Ricoprire i pomodorini con un unico strato uniforme di briciole (non c'e' bisogno di riempirli uno a uno), mettere in forno ventilato a 200° e cuocere per 10 minuti. Servire tiepidi o freddi.

## Arance caramellate

4

- 2 arance non trattate
- il succo di mezza arancia
- 100 g di zucchero
- 1 tazzina da caffè di cognac

Utilizzando un pelapatate, togliere la scorza a 1 arancia, avendo cura di staccare solo la parte arancione e lasciando sul frutto la pellicina bianca, che è amara. Tagliare le scorzette a listarelle e metterle da parte. Poi sbucciare per bene entrambe le arance, tagliarle a fette e disporle in un piatto da portata coi bordi alti. Mettere le scorzette in un padellino con il succo d'arancia, lo zucchero e il cognac e far cuocere sul fuoco finché non si caramellano. Versare velocemente il caramello sulle fette di arancia e far riposare in frigorifero fino al momento di servire. Si può accompagnare con gelato alla vaniglia.

*30 Novembre* *Oggi altro che vellutate! Ho preparato per le bambine e le loro*
*American* *amichette delle mini banane split. Da quando Matilde ed Eleonora*
*style* *hanno visto questo dolce ipercalorico in un film americano, hanno cominciato a darmi il tormento. Oggi mi sembrava proprio la giornata giusta per accontentarle. Naturalmente ho drasticamente ridotto le dosi..., ma loro non si sono lamentate, anzi!*
*P.S. La ricetta è stata un vero successo, ma ricevere i loro bacini di ringraziamento affettuosi e appiccicosi, è stata la cosa più deliziosa!*

## Mini banana split                          4 👤

*Io realizzo due porzioni*
*per ogni banana*

- 2 banane
- 4 grosse palline di gelato
  (a scelta: vaniglia,
  cioccolato o fragola)

- 4 cucchiaini di noccioline tritate
  (o confettini argentati)
- 1 confezione di panna spray
- sciroppo al caramello
- 4 ciliegine candite

Prendere ogni banana e tagliarla in due nel senso della lunghezza. Dividere in due le metà ottenute (nel senso della larghezza, questa volta). Disporre le due metà vicine in un

*Torta sbriciolata di ricotta e cioccolato (pag. 37)*

piatto o in una ciotola abbastanza grande. Porvi sopra, al centro, una grossa pallina di gelato del gusto desiderato. Schiacciarla un po', se è necessario, perché dovrete ricoprirla con un bel ciuffo di panna montata: abbondate pure! Aggiungere un po' di sciroppo al caramello (lo vendono già pronto in bottigliette al supermercato), infine spolverizzare con granella di noccioline e completare il tutto con una ciliegina in cima al vostro capolavoro.

*P.S.*

*Dal momento che spesso i bambini non gradiscono le noccioline tritate, io le ho sostituite con quei piccoli confetti argentati che servono per guarnire le torte.*

# DICEMBRE

*E*cco, ci risiamo: è di nuovo dicembre. Bello, bellissimo, il clima natalizio mi piace da morire, ma diciamo che più cresce la famiglia, più aumentano le incombenze. L'albero, per esempio, stupendo! Ma, mentre lo decoro, già penso a quando sarà il momento di smantellarlo. Per non parlare del pranzo del 25 o dei regali... No, meglio non spingersi ancora così avanti. Faccio una torta! A pancia piena tutto sembra più facile, anche il mese di dicembre!

Torta di noci
e cioccolato

Risotto al castelmagno
e nocciole

Carne cruda all'albese

Risotto 'al salto'

Omini di zenzero

Agnolotti del plin

Filetti di pesce persico
con impanatura aromatica

Pandoro al mascarpone

Polpette con farcia
di agnolotti

Crostata di montebianco

Contorni speciali

Mousse di salmone
affumicato

Capesante gratinate
ai pistacchi e arance

Spaghetti
alle vongole veraci

Croccanti di pistacchi
e nocciole

Lasagne velocissime

Tramezzino speciale

Ciambelline di Aosta

Gamberi alla catalana

Tagliolini al salmone
e panna acida

*Ho voluto iniziare il mese più impegnativo dell'anno con tanta dolcezza... un delizioso incontro di noci e cioccolato! Questa torta è perfetta da assaporare insieme a un bel tè caldo.*

## Torta di noci e cioccolato 6 👤

- 100 g di cioccolato fondente
- 100 g di burro
- 150 g di noci già sgusciate
- 150 g di zucchero
- 3 uova
- 100 g di farina
- 2 cucchiaini di lievito
- zucchero a velo

Mettere il cioccolato spezzettato e il burro in un tegamino e scioglierli a fuoco dolcissimo. Tritare le noci grossolanamente (potete usare il coltello o il mixer) e unirle alla crema di cioccolato. Separare i tuorli dagli albumi. In una ciotola sbattere i tuorli con lo zucchero, a parte montare a neve ben ferma gli albumi e unirli ai tuorli sbattuti. Unire poco alla volta anche la farina mescolata con il lievito. In ultimo incorporare la crema di cioccolato, che nel frattempo si sarà raffreddata. Versare il tutto in una tortiera foderata di carta da forno e guarnire con qualche gheriglio di noce lasciato intero. Infornare a 180° e cuocere per 30 minuti. Spolverizzare con lo zucchero a velo.

*Dovevo trovare un primo elegante e d'effetto da proporre per il menu delle feste di Cotto e mangiato. Lo ammetto, all'inizio ero un po' in crisi, ma poi, ecco l'illuminazione: risotto al castelmagno e nocciole. Una vera delizia! Oltre a essere buonissimo, è anche molto bello da vedere: bianco, cremoso, con le nocciole e il rosmarino come guarnizione. Se non trovate il castelmagno, potete provare con un salva cremasco. Visto che poi avevo ospiti a cena, ho comprato anche un bel pezzo di filetto. L'ho tagliato fine fine al coltello e ho fatto una super carne cruda all'albese, proprio quella che si mangia a casa dei miei genitori nei giorni di festa. Certo, se avessi avuto anche un tartufino... Va be', anche con qualche scaglia di grana ha riscosso un gran successo!*

## Risotto al castelmagno e nocciole          4-5 👤

- 100 g di nocciole
- 50 g di burro
- 1 cipolla piccola
- 400 g di riso per risotti
- 80 g di formaggio castelmagno
- brodo vegetale o di carne
- 1 rametto di rosmarino o maggiorana
- sale e pepe bianco

Tostare le nocciole in padella, facendole cuocere a fuoco abbastanza alto finché non sono leggermente dorate e incominciano a sprigionare un gradevolissimo profumo. Toglierle dal fuoco e tritarle nel mixer grossolanamente. Mettere 30 g di burro nel tegame dove si cucinerà il risotto e rosolarvi la cipolla tagliata sottile, unire il riso e far tostare. Incominciare a 'bagnare' con il brodo caldo. Più o meno a metà cottura, aggiungere le nocciole e metà del castelmagno grattugiato, una macinata di pepe e il rosmarino o la maggiorana. Continuare la cottura bagnando con il brodo fino a che il riso non sarà praticamente pronto. A quel punto, spegnere il fuoco e concludere mantecando con il resto del formaggio e il burro rimanente. Servire con scaglie di castelmagno ed eventualmente qualche nocciola per guarnire.

## Carne cruda all'albese                    4 🧍

- 200 g di filetto o controfiletto
  di manzo (per un antipasto
  calcolate 50 g a persona e per
  un secondo 100 g a persona)
- 1 spicchio d'aglio

- olio extravergine
- limone
- scaglie di grana o lamelle di
  tartufo bianco per completare
- sale e pepe

Prendere un coltello ben affilato e tagliare la carne a fettine. Mettere le fettine una sull'altra, tagliarle a striscette e infine a pezzettini. A questo punto 'battere' la carne con la lama del coltello in modo da ottenere l'effetto della carne trita, però un po' più grossolana. Schiacciare lo spicchio d'aglio e strofinarlo energicamente sul fondo di una ciotola perché vi lasci tutto il suo aroma. Scartare l'aglio e mettere la carne nella ciotola. Condire con olio, sale e pepe e mescolare vigorosamente con le mani fino a ottenere una massa pastosa e omogenea. Trasferire il tutto in un piatto piano da portata. Livellare la carne con la forchetta e formare uno strato sottile che ricopra interamente il piatto. Coprire con la pellicola da cucina e lasciare riposare in frigorifero fino al momento di servire. All'ultimo momento, completare con poche gocce di limone e scaglie di grana o, meglio ancora, di tartufo.

### P.S.

*In alternativa al grana e al tartufo si possono tagliare a strisce sottilissime alcune verdure croccanti e colorate: cetriolo, ravanello, peperone, sedano, cipollotto, finocchio, ecc. Condire con olio, sale e limone e disporre la julienne sulla carne prima di servire.*

*Con tutto quello che ho cucinato ieri per Cotto e mangiato,*
*escludo di mettermi ai fornelli anche oggi, che per di più è va-* Riciclo
*canza. Dal momento però che le mie bambine il famoso risotto* del riso
*al castelmagno non l'hanno voluto toccare nemmeno con un ba-*
*stone, oggi le frego io: risotto 'al salto'! La mia nonna diceva*
*sempre che: «Fritta, è buona anche una ciabatta» e infatti all'ora*
*di pranzo quelle due streghette si sono spazzolate tutto il riso,*
*chiedendo pure il bis! Peccato però che a casa mia sia pratica-*
*mente impossibile non cucinare. Infatti, con la scusa che questo è*
*il weekend dell'Immacolata e il clima natalizio già si fa sentire, ci*
*siamo messe a fare gli omini di pan di zenzero. Divertentissimo!*
*Si possono appendere all'albero, offrire come regalo natalizio o*
*più semplicemente... mangiare per merenda!*

## Risotto 'al salto'

• risotto avanzato            • e... tanta pazienza
• olio extravergine

Ungere d'olio una padella e versarvi il risotto avanzato
schiacciandolo bene, in modo che diventi compatto come
una frittata. Cuocere dolcemente e a lungo, controllando
finché il lato a contatto con la padella avrà fatto una deliziosa crosticina. A questo punto, cercare di staccare il
fondo del riso aiutandosi con la paletta in modo da assi-
curarsi che la crosta non si attaccchi e poi, utilizzando un
coperchio o la padella doppia, girare il risotto e rosolarlo
anche dall'altro lato. Se si rompe... poco male: l'amido lo
farà ricompattare in un lampo. Schiacciarlo bene e cuocere
come se niente fosse!

## Omini di zenzero 6

- 125 g di burro
- 100 g di zucchero di canna
- 330 g di farina
- 110 g di miele

- zenzero in polvere (a piacere)
- ½ cucchiaino di bicarbonato
  o un pizzichino di lievito per
  dolci

*per la glassa*
- 100 g di zucchero a velo

- 1 albume piccolo

Sbattere il burro ammorbidito con lo zucchero, poi aggiungere la farina, il miele, lo zenzero e il bicarbonato. Lavorare fino a ottenere un impasto elastico e liscio. Lasciarlo riposare in frigorifero avvolto nella pellicola finché non è un po' indurito, poi stenderlo con il mattarello tra due fogli di carta da forno e con un coltellino affilato 'intagliare' nella pasta la forma degli omini di zenzero (se avete le formine, meglio ancora). Preparare la glassa con zucchero a velo e albume nelle proporzioni date (ma potete anche andare a occhio, utilizzando solo qualche cucchiaino di albume e qualche cucchiaino di zucchero a velo). Mescolare gli ingredienti con una forchetta in modo da ottenere un composto denso e appiccicoso. Con uno stuzzicadenti intinto nella glassa disegnare la faccia, i bottoni e le mani degli omini (potete decorarli anche con confetti argentati, quelli che vanno in forno). Infornare a 180° per circa 10 minuti, ma ogni forno è diverso!

_9 dicembre_ *La puntata di Cotto e mangiato in cui ho cucinato con mia so-*
In cucina *rella Cristina è stata divertentissima. Abbiamo deciso di prepa-*
con Cristina *rare i mitici agnolotti del plin, un primo tipicamente piemontese*
*del giorno di Natale. Cristina, che si è presentata elegantissima*

*in tailleur blu, si è rivelata una cuoca eccellente ed è riuscita a tirare la pasta e a fare gli agnolotti senza sporcarsi nemmeno con un granello di farina. Mitica! Gli agnolotti del plin hanno un ripieno delicatissimo, sono molto piccoli e raffinati, ideali da mangiare sia in brodo, come abbiamo fatto noi, sia col sugo di arrosto. Cos'è il plin? È il pizzicotto, che serve per chiuderli e dar loro quella forma un po' caratteristica. Lo so! Fare la pasta ripiena è un po' faticoso, ma per il giorno di Natale, magari se si coinvolge tutta la famiglia, può diventare un rituale divertente! Ve lo confermerà anche Cristina. Detto questo, stasera sto aspettando Fabio di ritorno da una telecronaca di Champions. Ci sono gli agnolotti tiepidi che lo aspettano nella mia zuppiera preferita. Lo ripagheranno sicuramente di tutte le fatiche e di tutto il freddo della serata.*

## Agnolotti del plin               6 🧍

• 2 litri di brodo di gallina

*per il ripieno*

• 150 g di polpa di maiale
• 150 g di polpa di vitello
• 50 g di petto di pollo
  o tacchino
• 1 noce di burro
• 50 g di salame cotto

• 100 g di prosciutto crudo
• 100 g di grana grattugiato
• 2 uova
• noce moscata
• olio extravergine
• sale e pepe

*per la sfoglia*

• 350 g di farina
• 3 uova

• sale

Preparare il ripieno. Tagliare la carne a pezzi non troppo piccoli e farla rosolare dolcemente con burro e olio solo pochi istanti, senza che abbrustolisca. Sfumare poi con un mestolo o due di brodo e lasciar cuocere circa 20 minuti finché la carne sarà tenerissima e il brodo asciugato. Tritare la carne con i salumi nel mixer; mettere il composto in una ciotola, unire il grana, le uova, il sale e la noce moscata e amalgamare il tutto fino a ottenere un composto morbido e omogeneo. Preparare la sfoglia. In una larga ciotola mettere la farina e praticare un buco nel centro come fosse il cratere di un vulcano (si dice 'fare la fontana'). Romperci dentro le uova e condire con un cucchiaino di sale. Con la forchetta incominciare a sbattere le uova all'interno del cratere raccogliendo, mentre si sbatte, anche la farina tutt'attorno. Quando si sarà formata una specie di densa pastella, abbandonare la forchetta e cominciare a impastare con le mani, prima con le punte, poi con il palmo per ottenere un bel panetto omogeneo ed elastico (vi avverto che bisogna lavorarci per un po'...), avvolgerlo nella pellicola perché non secchi e staccarne dei pezzetti da tirare con la macchinetta (se siete capaci, potete anche usare il mattarello) in sfoglie, il più possibile sottili. Prendere una striscia di pasta e appoggiare nel mezzo le palline di farcia grandi come una biglia, posizionandole un po' distanziate tra loro. Ripiegare la sfoglia per ricoprire le palline di carne e, con la mano arcuata, schiacciare intorno a ogni pallina in modo da saldare la sfoglia che racchiude la farcia. Pizzicare la pasta con il pollice e l'indice (il plin!) in corrispondenza di ogni pallina di farcia e staccare ogni agnolotto con la rotella tagliapasta. Cuocere gli agnolotti nel brodo di gallina e servire con grana a parte.

*Oggi, domenica, tutto il mondo è in giro a fare shopping natali-*
*zio. Un ottimo motivo per non mettere il naso fuori casa. Rosa*
*mi ha proposto di fare un giro in centro, ma, con il piccolo Diego*
*di 4 mesi, l'impresa mi sembra pressoché impossibile. Dunque,*
*mi sono dedicata alle mie spese via Internet: molto più riposan-*
*te! Verso le cinque, mentre guardavo un film con le bambine,*
*però ho sentito prudermi le mani... e così ho aperto il frigorifero.*
*Avevo un avanzo di pomodorini secchi che non sapevo più come*
*utilizzare e dei bei filetti di pesce persico nel freezer che sembra-*
*vano chiamarmi...*

## Filetti di pesce persico con impanatura aromatica

4

- 400 g di filetto di pesce persico (o un altro pesce dai filetti carnosi e privi di lische)
- 30 g di pangrattato
- 30-40 g di pomodorini secchi
- 1 cucchiaio di origano secco
- olio extravergine
- sale

Mettere nel mixer il pangrattato con i pomodorini già tagliati a pezzetti (io ho usato quelli sott'olio e li ho sgocciolati tamponandoli un po' con la carta da cucina), l'origano e il sale. Tritare il tutto fino a ottenere un'impanatura rossiccia molto saporita. Se è necessario, aggiungere ancora un pomodorino. Prendere i filetti di pesce, ridurli in bocconcini non troppo grandi, passarli nell'olio poi nell'impanatura. A questo punto le opzioni sono due: adagiarli in una teglia foderata di carta da forno e, dopo averli unti d'olio, infornarli a 200° lasciandoli cuocere per circa 15 minuti. Oppure rosolarli dolcemente in padella. Questa seconda opzione è certamente più veloce ma anche più rischiosa, perché l'impanatura di pomodorini secchi brucia molto facilmente. Dunque, è importante tenere il fuoco basso e controllare bene la cottura.

<u>14 dicembre</u>
Sapore
di Natale

*Primo pandoro di Natale e, per festeggiare degnamente, ho voluto provare a farcirlo come fa la mia amica Francesca. Premetto che non amo molto le farciture perché il pandoro, quando è buono, è buono così com'è. Ma quella crema vellutata al mascarpone, resa scrocchierella dalle gocce di cioccolato, be'... è qualcosa di veramente notevole. Ho dovuto sottrarla alle bambine, altrimenti rischiavo di portarle al pronto soccorso! Si sa, i pericoli del Natale!*

## Pandoro al mascarpone                                6 🧑

- 1 pandoro intero
- 500 g di mascarpone
- 5 o 6 cucchiai di gocce
  di cioccolato fondente
- 5 o 6 cucchiai di zucchero
- 2 uova
- zucchero a velo

In una ciotola montare i tuorli con lo zucchero finché non diventano bianchi e spumosi. Incorporare il mascarpone e mescolare bene. Montare i bianchi a neve ferma e unirli al composto mescolando (è importante che il cucchiaio venga mosso dal basso verso l'alto perché il composto non si sgonfi). Completare la crema con le gocce di cioccolato. Tagliare il pandoro in 4 strati partendo dalla base. Spalmare la crema su ogni strato, cominciando dal basso, avendo cura di coprire bene la superficie fino alle punte; sovrapporre man mano le quattro parti in maniera sfalsata, in modo che le punte non combacino. Spolverizzare di zucchero a velo.

*Ultima registrazione di Cotto e mangiato prima delle vacanze.* 15 dicembre
*Per l'aperitivo degli auguri di Natale in redazione non mi sono* Riciclo,
*potuta esimere dal cucinare qualcosa. E così, visto che in freezer* che arte!
*avevo un bel po' di farcia degli agnolotti del plin, ho fatto delle*
*polpette da urlo. Piccolissime, da gustare in un sol boccone con*
*le mani.*

## Polpette con farcia di agnolotti

- farcia per agnolotti
- olio extravergine
- farina

Con la farcia per agnolotti formare delle palline piccole
come caramelle, infarinarle poi rosolarle delicatamente in
padella con un po' d'olio. Servire tiepide.

*Ho comprato mezzo chilo di castagne secche: di sbucciare e puli-* 18 dicembre
*re quelle fresche non ci penso proprio. Voglio fare il mitico mon-* Una dolce
*tebianco. Che delizia! È un dolce davvero semplice e scenografi-* alternativa
*co. Chissà se alle bimbe piacerà. Io lo adoro, tanto quanto amo i*
*marrons glacés. Mi metto subito all'opera!*
*P.S. Esperimento fallito! Le castagne non cuocevano mai. Mi*
*sono distratta un attimo per stare dietro a Diego che piagnu-*
*colava e il latte è debordato dalla pentola e mi ha sporcato tutti*
*i fornelli. Poi ho zuccherato troppo poco... Insomma, ho combi-*
*nato un vero disastro! Allora, visto che sono proprio una testa*
*dura, mi sono inventata una ricetta alternativa. Ho sostituito le*
*castagne secche con i marron glacé e invece di una montagna ho*
*fatto una crostata.*

## Crostata di montebianco 6 👤

- 1 rotolo di pasta frolla già pronta
- 400 g di marron glacé a pezzi
- 200 ml di panna liquida fresca
- qualche meringa piccola
- granella di meringa per guarnire

Frullare i marron glacé con metà della panna. Stendere la pasta frolla su una tortiera con sotto la sua carta da forno, fare una cornice sui bordi e bucherellare la base. Versare l'impasto di marron glacé sulla base di frolla, livellarlo bene, mettere in forno a 200° e cuocere per circa 20 minuti. Lasciar raffreddare la torta e toglierla dalla tortiera. Montare la panna avanzata, incorporarvi delicatamente le meringhe sbriciolate e coprire la torta con uno spesso strato di questo delizioso composto. Completare con la granella di meringa.

22 dicembre
Verdure alla giapponese

*Questa sera cena con le mie amiche al giapponese. Ogni tanto ci vuole! Una bella banda di ragazze e tante chiacchiere. Peccato che la serata sia finita in maniera un po' disastrosa: ho dimenticato le chiavi nel cruscotto della mia povera e vecchia macchina e poi l'ho chiusa. Cretina! Domani mi tocca chiamare il meccanico e farmela 'scassinare'. Comunque, mi sono divertita e tra l'altro ho mangiato un piatto di fagiolini con il sesamo davvero squisiti. Li voglio abbinare ai peperoni in agrodolce che sono una mia grande passione. Verde e rosso, un po' etnico, e dal gusto decisamente diverso. Potrebbe essere un bis di contorni un po' speciali, perfetto per movimentare il tradizionale pranzo di Natale.*
*P.S. Dulcis in fundo, quando sono andata a recuperare la macchina mi avevano fatto pure la multa per divieto di sosta!*

## Contorni speciali 4-6 👤

- 3 peperoni rossi
- 1 cipolla
- olio extravergine
- 1 cucchiaio di zucchero
- ¼ di bicchiere di aceto di mele
- 1 manciata di pinoli
- 250 g di fagiolini
- semi di sesamo
- sale

Lessare i fagiolini con un po' di sale, ma lasciarli abbastanza croccanti. Nel frattempo affettare la cipolla ad anelli, metterla a soffriggere poi aggiungere i peperoni tagliati a listarelle. Salare e lasciare cuocere fin quando i peperoni sono ammorbiditi. A questo punto versare lo zucchero sui peperoni, sfumare con l'aceto, aggiungere i pinoli e far saltare a fuoco vivace per pochi minuti: i peperoni in agrodolce sono pronti. Quando i fagiolini sono giunti a cottura, scolarli e farli saltare a fuoco alto in una padella con l'olio. Spolverizzare con una buona quantità di sesamo e continuare a cuocere a fuoco vivace mescolando un po' per un paio di minuti. Il sesamo si attaccherà ai fagiolini formando una croccante impanatura. Presentare i due contorni in due piatti separati oppure in un largo piatto da portata, magari divisi da una fila di patate al forno.

*Ebbene sì, anche quest'anno la vigilia di Natale è arrivata e per il secondo anno consecutivo il pranzo del 25 non toccherà a me. Il Natale scorso perché ero incinta, quest'anno perché Diego è ancora piccolino. Il prossimo, però, non ci saranno scuse. Intanto mi concentro sulla nostra cenetta familiare della vigilia. Una cosa semplice, solo noi 4 e il piccolo Diego che, come commen-*

*24 dicembre*
*Cenetta*
*in famiglia*

sale, ancora non conta... *Primo piatto: spaghetti alle vongole. A casa di Fabio a Roma si mangiano sempre la sera prima di Natale e, visto che quest'anno i miei suoceri sono lontani, li ricorderemo anche così.*

*Prima però, sempre per rispettare le tradizioni Caressa, ci saranno i classici crostini con il salmone affumicato. Non a fette però: quest'anno ho proposto una mousse di salmone squisita e velocissima, ricetta che arriva direttamente dall'Irlanda, che produce i salmoni affumicati migliori... per la gioia di Fabio. Per far piacere a me invece ho comprato anche 6 bei conchiglioni di capesante da fare gratinate, ma in una maniera un po' speciale, con l'arancia e i pistacchi! Io ne vado matta. Poi, dopo gli spaghetti, se vorremo, ho anche dei calamari e dei gamberi per una bella frittura. Una leggera infarinatura con farina di grano duro e poi giù tuffati nell'olio di semibollente. Meravigliosi! Anche se, secondo me, saremo sazi. In definitiva, quello che ci aspetta è un menu delle feste che si cucina abbastanza in fretta; l'importante è ricordarsi di mettere a spurgare le vongole in acqua e sale con un po' di anticipo. In un'oretta sarà tutto pronto. Le bambine prepareranno la tavola, Fabio invece la spreparerà alla fine della cena. A ognuno il suo compito prima del grande momento: l'apertura dei regali. La vera impresa sarà poi riuscire a mettere a dormire le bambine!*

*P.S. E il dolce, vi chiederete voi? Panettone, naturalmente, e poi il croccante! Il mio preferito è quello ai pistacchi, croccante sì, ma burroso, verde e brillante come una decorazione natalizia. Da non sottovalutare nemmeno quello alle nocciole, cavallo di battaglia storico della cara nonna Maria.*

## Mousse di salmone affumicato 4

- 120 g di salmone affumicato
- 1 cucchiaio di mascarpone
- 1 cucchiaio di Philadelphia
- 1 limone
- pane tostato
- sale e pepe

Tagliare grossolanamente il salmone affumicato e metterlo nel bicchiere del mixer. Aggiungere il mascarpone, il Philadelphia, il succo del limone, sale e pepe. Frullare fino a ottenere la consistenza morbida e cremosa di una mousse. Servire in una coppetta e accompagnare con pane tostato.

## Capesante gratinate 4
## ai pistacchi e arance

- 6 capesante con il guscio
- una manciata di pistacchi
- 1 fetta e ½ di pancarré
- 1 arancia
- 50 g di burro
- sale e pepe

Staccare il mollusco dalla conchiglia utilizzando un coltellino e lavarlo in acqua corrente fredda. Sciacquare la conchiglia e ricollocarvi il mollusco. Tritare nel mixer i pistacchi con il pane. Aggiungere alla panatura la scorza grattugiata dell'arancia. Salare le capesante, ricoprirle con l'impanatura, sciogliere il burro e versarne un po' in ogni conchiglia. Completare con ancora un po' di sale e pepe, mettere in forno ventilato a 180° e cuocere per 12 minuti. Se rischiano di bruciare, coprire le capesante con la stagnola; se invece non si forma la crosticina croccante, negli ultimi minuti usare la funzione grill e alzare la temperatura. Decorare con spicchi d'arancia e servire.

## Spaghetti alle vongole veraci 4 🧑

- 1 kg di vongole veraci fresche
- 300 g di spaghetti
- 3 spicchi d'aglio
- olio extravergine
- 1 bicchiere di vino bianco
- peperoncino (facoltativo)
- prezzemolo
- sale

Questa è la ricetta classica. Lasciare spurgare mezz'ora le vongole in una ciotola con acqua e sale, cambiando l'acqua di frequente e sempre aggiungendo un po' di sale. Schiacciare l'aglio e metterlo a rosolare in una padella con abbondante olio, inclinando la padella sul fuoco in modo che resti completamente immerso nel liquido. Scolare e sciacquare le vongole, buttarle in padella e farle cuocere a fuoco vivace, sfumandole con il vino e coprendo con il coperchio. Dopo pochi minuti le vongole si saranno aperte. Spegnere il fuoco. Mettere a lessare gli spaghetti. Mentre la pasta cuoce sgusciare circa ¾ delle vongole lasciandone solo poche coi gusci per bellezza. Scolare gli spaghetti, molto al dente in modo che completino la cottura in padella insieme al sugo delle vongole e siano ancora più saporiti. Riaccendere il fuoco sotto la padella delle vongole, unire la pasta e far saltare qualche minuto. Aggiungere il prezzemolo tritato e portare in tavola.

*P.S.*

*Il fritto lo abbiamo saltato! Eravamo sazi!*

## Croccanti di pistacchi e nocciole 4-6 👤

*per il croccante di pistacchi*
- 100 g di pistacchi sgusciati
- 150 g di zucchero
- limone

*per il croccante di nocciole*
- 150 g di nocciole tostate
- 200 g di zucchero
- limone

Tritare grossolanamente i pistacchi con il tritatutto o, a mano, con un coltello. Far sciogliere in un padellino lo zucchero con qualche goccia di limone finché non incomincia a scurirsi e quindi a caramellare. A questo punto unire i pistacchi e mescolare fino a ottenere un composto colloso, morbido e brunito. Rovesciare il tutto sopra un tagliere ricoperto da un foglio di carta da forno e, con estrema cautela, stendere il composto prima con un cucchiaio di legno poi, coprendolo con un altro foglio di carta da forno, appiattirlo con il mattarello fino ad ottenere una lastra sottile (tutto il procedimento dovrà svolgersi in tempi abbastanza brevi, altrimenti il caramello si solidificherà e non sarà più manipolabile). Aspettare pochi minuti prima di togliere il foglio di carta da forno superiore, quindi tagliare il croccante a losanghe prima che sia completamente indurito. Applicare il medesimo procedimento per realizzare il torrone con le nocciole. (È possibile usare lo stesso pentolino, anche se è ancora sporco del croccante precedente!)

*Bello il Natale, ma certo non rilassante quando ci sono 3 bambini da vestire, le valigie da caricare, il gatto da sistemare, le lasagne da cucinare... Tutto entro mezzogiorno, orario previsto per la partenza. Prima tappa, pranzo di Natale in famiglia a Lodi, ospiti della carissima e coraggiosissima Anna; seconda tappa,*

*25 dicembre*
*festa in famiglia*

*Courmayeur, dove passeremo le vacanze. Naturalmente non siamo riusciti a muoverci prima dell'una. Siamo dovuti ritornare sui nostri passi perché ci eravamo dimenticati di buttare la spazzatura e alla fine, arrivati a Lodi, mi sono accorta di aver lasciato a casa il mio giubbotto. Insomma, ero uscita in maglione il giorno di Natale con la prospettiva di affrontare così una settimana in montagna! Va be', a parte questi «piccoli» inconvenienti, il pranzo è stato un successo: 12 adulti e 11 tra ragazzi e bambini. Per loro un tavolo e un menu speciale, che comprendeva le mie lasagne velocissime. Come dice il nome, si preparano in meno di un'ora, ma non tradiscono mai. Infatti ne ho portate due teglie e se le sono spazzolate tutte!*

## Lasagne velocissime 6

- 8 sfoglie di lasagne precotte
- 450 g di carne trita
- 500 ml di besciamella già pronta
- 1 confezione di verdure per soffritto surgelate
- 1 spicchio d'aglio
- 1 bicchiere di passata di pomodoro
- ½ bicchiere circa di vino bianco
- 2 foglie di alloro
- noce moscata
- grana grattugiato
- zucchero, appena un pizzico
- latte
- olio extravergine
- sale e pepe

In un tegame largo far rosolare in poco olio (mi raccomando, poco davvero! altrimenti le lasagne alla fine avranno quelle untuose chiazze arancioni che io trovo terribili) le verdure per soffritto insieme all'aglio. Quando hanno preso colore aggiungere la carne e farla rosolare dolcemente. Appena sembrerà un po' cotta, sfumare con il vino, lasciar consumare appena appena, aggiungere la passata di pomodoro, lo zucchero, la noce moscata, l'alloro, sale e pepe. Abbassare il fuoco e lasciar cuocere a tegame coperto per circa 30 minuti. Nel frattempo accendere il forno e prepararsi per la composizione delle lasagne. Appena il ragù si sarà ristretto, togliere il tegame dal fuoco e assaggiare il sugo per sentire se è abbastanza saporito, altrimenti aggiustare un po' di sale. Versare la besciamella direttamente nel tegame del sugo (ne lascio giusto qualche cucchiaio da mettere sull'ultimo strato) e amalgamare. A questo punto, sporcare appena la base di una teglia rettangolare con il sugo e poi cominciare a comporre le lasagne sistemando le prime due sfoglie una di fianco all'altra, appena sovrapposte, per foderare tutto il fondo della teglia. Ricoprire le sfoglie con un bel po' di sugo e spolverizzarle con tanto grana. Continuare fino a esaurire tutte le sfoglie. Completare l'ultimo strato con abbondante grana e la besciamella tenuta da parte (prima di infornare, io aggiungo sempre un pochino di latte in tutti gli angoli per essere sicura che le mie lasagne non saranno troppo asciutte). Mettere in forno a 180° e lasciare cuocere per circa 30 minuti. Completare passando le lasagne qualche minuto al grill per farne gratinare bene la superficie.

*Una delle tante cose belle degli alberghi sono i sandwich. Sontuosi, ricchissimi, internazionali... in effetti costano anche un occhio della testa, ma questo è un altro discorso. Quello che mi sono mangiato oggi, mentre le bambine erano sulle piste da sci e Diego dormiva nella sua carrozzina, è davvero da ricordare. Me lo rifarò sicuramente anche a casa... Gratis!*

*26 dicembre*
*Piccoli piaceri da copiare!*

## Tramezzino speciale                1 tramezzino

- 3 fette di pane morbido in cassetta ai cereali
- robiola
- pâté di fegato
- prosciutto cotto di Praga
- pomodori
- rucola
- sale

Spalmare la prima fetta di pane con la robiola. Sulla robiola stendere il prosciutto cotto e sopra a questo distribuire alcune fette di pomodoro tagliato sottilissimo e un pizzico di sale. Aggiungere una seconda fetta di pane e spalmarla con abbondante pâté, sistemarci sopra un altro strato di prosciutto e, per finire, qualche foglia di rucola. Condire con il sale e coprire con la terza fetta di pane. Schiacciare bene con il palmo della mano, poi, con un coltello ben affilato, tagliare il tramezzino in due triangoli e fermarli con una bandierina.

*P.S.*

*È buonissimo anche leggermente tostato!*

___

28 dicembre
Dolci
risvegli

*Oggi non ho resistito. Qui, a Cour Maison, a colazione servono dei biscottini a forma di ciambella, fatti con la farina della polenta, che sono una cannonata. Per fortuna il pasticciere autore di queste delizie segue Cotto e mangiato e così oggi mi ha regalato la ricetta. Non vedo l'ora di provarla! Anche le altre sue creazioni sono ottime, ma davvero troppo, troppo complicate per noi comuni mortali!*

# Ciambelline di Aosta

**15-18 biscottini**

- 330 g di farina di mais fioretto
- 30 g di farina 00
- 100 g di burro
- 150 g di zucchero

- 2 uova
- scorza di limone
- sale

Fare sciogliere il burro. In una ciotola miscelare le due farine e un pizzico di sale, aggiungere il burro e mescolare fino a ottenere un composto un po' bricioloso. A questo punto, aggiungere lo zucchero e le uova. Impastare, prima con il cucchiaio poi con le mani, fino a ottenere un composto omogeneo (se dovesse essere troppo morbido da manipolare, metterlo nel frigorifero per un po'). Foderare la placca del forno con la carta da forno. Prendere una noce di impasto, appoggiarla sulla placca, schiacciarla e, aiutandosi con i polpastrelli, formare un disco di circa 6-8 cm. Ripetere l'operazione fino a riempire la placca (non è necessario distanziare molto i biscotti fra loro perché durante la cottura non si allargheranno). Mettere in forno a 180° e cuocere per circa 10 minuti. Quando i bordi esterni dei biscotti incominciano a scurirsi vuol dire che sono pronti. Con questa quantità di impasto io faccio due infornate.

*Ci siamo, un altro anno è finito! Bilancio positivo, ma speriamo che non valga anche il detto: «Chi non cucina a Capodanno, non cucina tutto l'anno». Infatti questa sera saremo ospiti a un classico veglione, completo di cena super elaborata e super lunga. Io non amo molto queste feste... Per me il Capodanno migliore è* 

*31 dicembre*
*Addio*
*2009!*

quello che si festeggia in casa con un gruppo di amici simpatici. Naturalmente ognuno deve portare qualcosa per sollevare un po' la padrona di casa. Lo scorso anno facemmo così. Il menu? Tagliolini al salmone e panna acida, una ricetta deliziosa e molto particolare. Infatti io non amo la panna nella pasta, ma questa ricetta, che è un po' acidula, sposa perfettamente il gusto delle patate e del salmone. Semplicemente perfetta. L'antipasto lo portarono Nina e Gimmi: un vassoio colmo di gamberi alla catalana. Da urlo. Fabio invece si esibì in uno dei suoi migliori cotechini con lenticchie. E, per concludere, panettone e dolcetti vari come se piovessero...

## Gamberi alla catalana                      4-6 👤

• 10 gamberi a testa (se non siete così generosi potete anche dimezzare le dosi)
• 10 pomodori ciliegini a persona
• 2 cipolle rosse di Tropea
• olio extravergine
• limone
• basilico
• sale e pepe

Lessare i gamberi (vanno bene anche quelli surgelati) senza privarli del carapace e lasciandoli nell'acqua bollente solo pochi minuti, altrimenti diventano duri. Nel frattempo, tagliare a dadini i pomodorini e affettare a velo la cipolla. Preparare una marinata con olio, limone, basilico tritato, sale e pepe e sbattere bene con la forchetta. Sgusciare i gamberi, privarli della testa, raccoglierli in una ciotola da portata, mescolarli alla cipolla e al pomodoro. Condire il tutto con abbondante marinata e lasciar riposare in frigorifero, coprendo la ciotola con la pellicola da cucina, fino al momento di servire.

# Tagliolini al salmone e panna acida    4

- 250 g di tagliolini all'uovo
- 1 patata media
- 150 g di salmone affumicato
- 200 ml di panna fresca
- 2 cucchiai grandi di yogurt

  bianco
- il succo di ½ limone circa
- 1 noce di burro
- aneto o erba cipollina
- sale e pepe

Tagliare a striscioline il salmone. Preparare la panna acida mescolando in una ciotola la panna, lo yogurt e il succo di limone. Sbucciare la patata e tagliarla a tocchetti piccoli. Metterla a lessare in acqua salata e dopo 3 minuti aggiungere anche i tagliolini. Fondere il burro in una larga padella. Scolare tagliolini e patate, e farli saltare in padella per un minuto circa insieme al salmone tagliato a striscioline. Spegnere il fuoco, aggiungere la panna acida e mescolare. In ultimo spolverizzare con l'aneto o l'erba cipollina e una macinata di pepe.

# GENNAIO

*Dopo gli stravizi delle feste bisogna stare un po' attenti a quello che si mangia, magari per una o due settimane. Senza esagerare, però! Polenta, spezzatino, dolcetti al cioccolato ci aspettano per festeggiare degnamente il primo mese dell'anno.*

Toast
del primo dell'anno

Zampone
e lenticchie

Zuppa drenante

Verdurine al cartoccio

Tagliatelle
impacchettate

Muffin
al doppio cioccolato

Flan de leche

Spezzatino di manzo
brasato alla birra

Polenta

Polenta gratinata in forno

Fusilli al pâté d'olive

Cuori di nasello
con crema di carote

Tortiglioni
al ragù di pesce

Minestrina della Pina

Torta caprese

Se il buon giorno si vede dal mattino... Aiuto! Questa mattina ci siamo svegliati tardissimo e abbiamo avuto la brillantissima idea, insieme a Rosa e Luca, di marinare la colazione dell'albergo per un brunch in centro. Mal ce ne incolse! Con cinque bambini al seguito più Diego intirizzito in carrozzina, siamo stati scacciati da almeno cinque bar gremiti di gente. Alla fine ci siamo dovuti accontentare di un chiosco all'aperto, che d'estate al mare sarebbe stato l'ideale, ma a Courmayeur con 5 gradi sottozero non lo era affatto. Comunque le mie sofferenze sono state ricompensate da un toast veramente superbo. Il segreto? Il burro e una buona fetta di fontina al posto delle sottilette! Va be', la dieta incomincerà dal 2 gennaio...

## Toast del primo dell'anno                    1 toast

- 2 grosse fette di pancarré
- burro
- prosciutto cotto
- 1 fetta di fontina dolce

Spalmare il burro su una fetta di pancarré, farcire con abbondante prosciutto cotto e una fetta non troppo spessa di fontina (se fate fatica a ottenere una fetta sottile, potete anche tagliare la fontina a strisioline: si scioglierà ancora meglio). Chiudere il toast sovrapponendo l'altra fetta di pancarré. Far tostare (se temete che il formaggio coli nel tostapane, avvolgete il toast in un foglio di alluminio).

Vacanza finita, si riparte. Con la macchina stracarica siamo rientrati a Milano molto riposati e di ottimo umore, tanto che Fabio ha voluto fermarsi al supermercato prima di tornare a casa e ha comprato tutto l'occorrente per prepararci zampone con lenticchie. E sì, perché alla fine, a Capodanno, non l'abbiamo mangiato e le *tradizioni devono essere sempre rispettate! A casa nostra il cuoco ufficiale di questo piatto è sempre stato Fabio, così io mi sono ritirata in buon ordine dalla cucina. L'unico suggerimento che Fabio accetta quando si mette a cucinare riguarda le pentole da usare. Tirato fuori l'occorrente, sono andata a giocare con le bambine mentre per casa incominciava ad aleggiare un irresistibile profumino. Cena meravigliosa! Va be', la dieta la incomincio il 3...*

## Zampone e lenticchie

4

- 1 zampone precotto
- 1 confezione di verdure
  per soffritto surgelate
- 500 g di lenticchie
- olio extravergine
- 1 cucchiaio di dado granulare
- 1 bicchiere di passata di
  pomodoro
- 1 rametto di rosmarino
- 1 cucchiaio di concentrato di
  pomodoro sale

Far cuocere lo zampone nell'acqua bollente secondo le procedure indicate sulla confezione. In un tegame rosolare le verdure per il soffritto con un po' d'olio, unire le lenticchie e far insaporire un po'. Aggiungere acqua calda e il dado granulare direttamente nella pentola. Unire anche il sale, la passata e il rosmarino, e lasciar cuocere dolcemente a tegame coperto. Man mano che il brodo asciuga, aggiungere altra acqua calda, e da ultimo il concentrato. Quando le lenticchie sono morbide e il sugo ristretto al punto giusto, trasferirle in un piatto da portata e adagiarci sopra lo zampone. In alternativa si può tagliare a fette lo zampone e farlo cuocere ancora un pochino nella pentola insieme alle lenticchie: in questo modo lo potrete cucinare in anticipo e riscaldare all'ultimo momento.

*Domani ricomincia Cotto e mangiato, così oggi sono tornata presto dalla redazione per fare un po' di esperimenti dietetici perché voglio proporre menu light per disintossicarsi dalle feste. Sono passata al supermercato e finalmente in cucina è tornato un po' di colore. Il giallo e il rosso delle mele, l'arancione dei mandarini, il verde delle zucchine e poi peperoni, porri, verze, melanzane. Insomma, mi sono procurata materiale per divertirmi. Il piatto rivelazione del giorno è senz'altro la «passata drenante strong»: pensavo fosse uno di quei beveroni che fanno tanto bene ma che bisogna bere tappandosi il naso, e invece si è rivelato squisitissimo. La prova? Matilde ed Eleonora ne hanno bevute 3 ciotole a testa. Giuro che sono sincera. Leo, nel chiedere il terzo bis si è pure ingarbugliata, chiamandola "passata denantre stong". Naturalmente ora tutti in famiglia la chiamiamo così. Fabio ha dichiarato di volerla bere tutte le sere. Ecco la ricetta, e non sgarrate sulle dosi!*

## Zuppa drenante                                    4-6 👤

- ½ verza
- 1 pomodoro
- 1 peperone giallo
- 1 porro
- 1 gambo di sedano
- 1 cucchiaino di dado granulare vegetale
- sale

Pulire e tagliare a pezzetti tutte le verdure, metterle in una pentola e coprirle a filo con acqua fredda. Aggiungere il dado e il sale, e farle cuocere circa 40 minuti. Terminata la cottura frullare le verdure e servire. (Se vi sembra che cuocendo le verdure abbiano rilasciato troppa acqua e la zuppa potrebbe diventare troppo brodosa, prima di frullarla togliete qualche mestolo di liquido. La passata deve risultare bella densa!)

*La Befana! Per compensare tutte le caramelle, i cioccolatini e le schifezze che sono girate oggi per casa, a cena ho presentato un sontuoso cartoccio di verdure colorate, profumate e, soprattutto, croccanti. Il segreto di questo piatto è cuocerlo nei tempi giusti per evitare il famigerato 'effetto minestrone', cioè un pappone di verdure grigiastre, mollicce e acquose, davvero poco invitanti.*

*6 gennaio*
*Abbasso l'effetto minestrone*

## Verdurine al cartoccio

4

- 100 g di carotine
- 150 g di cime di broccoletti
- qualche anello di cipolla rossa (in stagione meglio usare il cipollotto)
- 2 zucchine
- 2 cucchiai di vino bianco
- olio extravergine
- sale e pepe

Sbollentare in acqua salata le carotine, tagliate a metà, per 5 minuti, unire quindi i broccoli e gli anelli di cipolla per un altro minuto soltanto. Appena l'acqua riprende il bollore, scolare il tutto. Sovrapporre due fogli di alluminio e appoggiarli su una teglia, unirne altri due e appoggiarli in modo da creare una croce. Ungere l'alluminio con qualche goccia d'olio, adagiarvi le verdure sbollentate e poi le zucchine crude, salare, condire ancora con un po' d'olio, pepe (o peperoncino) e vino. Sigillare bene il cartoccio come fosse una caramella e farlo cuocere a 180° per 15 minuti. Servire le verdurine nel cartoccio appena sfornato.

*Abbasso la dieta! Evviva le tagliatelle impacchettate al prosciutto! O almeno così le ha ribattezzate Eleonora perché si presentano come un anello di deliziose tagliatelle al forno racchiuse in uno scenografico involucro di prosciutto. Perfette per stupire*

*8 gennaio*
*Se lo dice il dottore...*

*gli ospiti. La ricetta mi arriva da Barbara, amica, pediatra dolcissima delle mie bambine e, ora lo so, anche ottima cuoca. Le mie ricette arrivano più o meno tutte così: Barbara mi ha chiesto come facevo a trovare così tante idee per la mia rubrica e io le ho risposto che di solito facevo affidamento sul buon cuore delle mie amiche... Così stimolata, ecco che anche lei mi ha regalato un suo cavallo di battaglia che ho subito provato. La pasta al forno è una garanzia di bontà. Se poi usate i tagliolini all'uovo e li condite con panna, mozzarella e grana... Be', dovete provare!*

## Tagliatelle impacchettate                    4 🧍

- 400 g di tagliatelle o tagliolini all'uovo
- 2 mozzarelle
- prosciutto cotto a fette
- burro
- 200 ml di panna
- 100 g di grana

Tagliare le mozzarelle a cubetti. Imburrare uno stampo ad anello, foderarlo con le fette di prosciutto cotto lasciandole in parte fuoriuscire dallo stampo stesso. Lessare i tagliolini, scolarli prima che arrivino perfettamente a cottura (devono risultare un po' al dente), versarli in una ciotola e condirli con un po' di burro, la mozzarella, la panna e il grana. Mescolare bene la pasta e trasferirla nello stampo foderato. Ripiegare il prosciutto cotto verso l'interno dello stampo in modo da impacchettare le tagliatelle. Mettere in forno a 180° e lasciare cuocere per circa un quarto d'ora, fino a che la mozzarella non si sarà ben sciolta. Sformare le tagliatelle impacchettate su un bel piatto da portata e servire calde.

*Arance caramellate (pag. 61)*

*Capesante gratinate ai pistacchi e arance (pag. 79)*

*Che divertente! Oggi a pranzo ho tirato fuori dal frigorifero tutti gli ingredienti che si potevano utilizzare per imbottire un panino e li ho messi in tavola. Poi ho munito Matilde ed Eleonora di due fette di pane morbido, quello confezionato che si utilizza per i toast, e le ho lasciate libere di inventarsi il loro toast personale. Erano al settimo cielo! Hanno iniziato a curiosare tra tutti i possibili ingredienti scegliendo accuratamente i loro preferiti. Al momento di mettere i toast nel tostapane, però, visto che erano veramente imbottiti, li ho dovuti impacchettare in un foglio d'alluminio per evitare che la farcitura uscisse o il pane si rompesse. In questo modo il panino è tostato perfettamente senza sporcare l'interno del tostapane. Per concludere abbiamo festeggiato con degli spettacolari muffin al doppio cioccolato, che avevo sfornato la mattina inondando di un profumo davvero irresistibile tutta la casa.*

*9 gennaio*

*Quant'è bello il sabato!*

## Muffin al doppio cioccolato    4-6 ▲

• 300 g di cioccolato fondente
• 100 g di burro
• 100 ml di latte
• 180 g di farina
• 120 g di zucchero
• 1 bustina di lievito
• 4 uova (2 tuorli e 4 albumi)

Mettere in un tegamino 100 g di cioccolato a pezzi con il burro e il latte e fare sciogliere a fiamma moderata. Togliere dal fuoco e, mentre la crema si raffredda, ridurre in scaglie (o tritare) il resto del cioccolato. In una ciotola mescolare la farina, lo zucchero e il lievito, aggiungere la crema al cioccolato, i 2 tuorli (tenendo da parte gli albumi) e il cioccolato a scaglie, e amalgamare il tutto. Aggiungere due albumi a quelli tenuti da parte e montarli a neve, poi versarli nella ciotola e incorporarli al composto preparato. Versare il composto nei pirottini da muffin imburrati e infarinati. Mettere in forno a 180° e lasciare cuocere per 20 minuti.

<u>16 gennaio</u> *Voglio provare a fare il flan de leche, un'alternativa alla nostra*
Sapori *crème caramel, fatto con il latte condensato al posto della panna*
dalla *e con i corn flakes distribuiti sulla base. Ricetta che mi arriva da*
Colombia *una telespettatrice colombiana.*
*P.S. Le dosi sono abbondanti, non so come faremo a mangiarlo tutto!*

## Flan de leche                                    6 ♟

- 2 confezioni di latte condensato
- latte fresco, la stessa quantità di quello condensato
- 4 uova
- 50 g di zucchero
- corn flakes

Versare il latte condensato nel mixer. Utilizzare un barattolo vuoto del latte condensato come unità di misura, riempirlo 2 volte di latte fresco e versarlo nel mixer. Aggiungere anche le uova e frullare fino a che tutto non si è amalgamato (non frullare troppo, però, altrimenti il dolce, una volta cotto, avrà dei buchi). Far caramellare lo zucchero in un pentolino con uno o due cucchiai d'acqua e versarlo sul fondo di una teglia. Versare quindi il composto sopra il caramello e, in ultimo, coprire il tutto con uno strato di corn flakes. Mettere in forno, a bagnomaria, a 180° e lasciare cuocere anche per un'ora o comunque fino a quando, infilando un coltello, non uscirà pulito. Girare il dolce solo quando è freddo.

*Ma che bella domenica quella di oggi! Avevo invitato i miei ge-*
*nitori per pranzo. Loro, prima di venire da me, sono passati a*
*casa di mio fratello Roberto. Così, intorno alle 11.30, dopo aver-*
*li sentiti per telefono, ho deciso di invitare tutti quanti. Per la*
*serie: aggiungi 5 posti a tavola... Ho dovuto modificare un po'*
*i miei programmi. Alle 11 in punto avevo messo in forno un*
*meraviglioso spezzatino brasato alla birra, ricetta di Gaia. Una*
*delizia che doveva cuocere due ore. Però non sarebbe mai bastata*
*per tutti! Allora, in fretta e furia, ho scongelato un bel pezzo di*
*vitello (benedicendo il mio freezer sempre stracolmo) per fare an-*
*che uno spezzatino con il sugo rosso e i piselli, da abbinare a una*
*bella polenta che avevo già in mente di preparare. Peccato che,*
*dopo aver tagliato la carne e la cipolla, mi sono accorta di non*
*avere più salsa di pomodoro. Niente pelati, niente polpa, niente*
*pomodori freschi! Mai successo prima d'oggi! Comunque, per*
*fortuna, ho trovato in fondo al frigorifero un tubetto di doppio*
*concentrato di pomodoro. Allora l'ho spremuto sulla mia carne e*
*l'ho diluito con l'acqua e arricchito con un po' di gusti. Alla fine*
*è risultato buonissimo! Tutto il pranzo è stato molto piacevole.*
*La situazione un po' improvvisata mi ha fornito l'alibi per usare*
*i piatti di carta e preparare una sorta di buffet. Avendo cucinato*
*due spezzatini – uno in forno, uno in padella e una bella polenta*
*– anche le stoviglie alla fine non erano molte. Ho messo tutto a*
*tavola e mi sono goduta il pranzo. Per dolce, il flan de leche, che*
*avevo già preparato ieri sera e che ho soltanto dovuto girare...*
*impresa comunque non facile.*
*P.S. Domani come prima cosa devo ricordarmi di comprare la pas-*
*sata di pomodoro.*

## Spezzatino di manzo brasato alla birra

4-6 ♟

- 1 kg di manzo
- 4 carote
- 1 cipolla
- 1 spicchio d'aglio
- olio extravergine
- alloro
- rosmarino
- 45 ml di birra chiara
- 2 cucchiai di farina
- sale e pepe

Versare un po' d'olio in un tegame che possa essere messo anche in forno e farvi rosolare a fuoco vivace la carne tagliata a pezzi abbastanza grossi. Una volta rosolata, spostarla in un piatto e mettere a soffriggere nel tegame la carota e la cipolla tagliate sottili, e lo spicchio d'aglio intero. Quando le verdure sono appassite, aggiungere la carne già rosolata, salare e pepare. Aggiungere la farina, mescolare e sfumare il tutto con la birra, e insaporire con rosmarino e alloro. Coprire il tegame, trasferirlo in forno a 150-160° e cuocere per 2 ore. Servire con polenta.

## Polenta

6-8 ♟

- farina per polenta
- acqua
- sale
- burro

Portare l'acqua a bollore (seguire le dosi indicate sulla busta: io di solito uso 500 g di farina di mais per 3 litri d'acqua e 15 g di sale), salarla, poi versare la farina di mais e mescolare per circa mezz'ora finché la polenta non sarà della consistenza desiderata. A questo punto condirla con un'abbondante dose di burro (portare un panetto di burro anche a tavola per chi ne vorrà aggiungere ancora un po'.

Io di solito presento anche un tagliere di formaggi. Mi piace mescolarli alla polenta bollente e renderla saporita e filante... e poi è sempre una alternativa in più, per niente faticosa, da offrire agli ospiti).

*P.S.*

---

*Io ho comprato il paiolo di rame con il braccio elettrico perché non ho voglia di mescolare per mezz'ora. Un'altra valida alternativa all'olio di gomito è la polenta istantanea. Buonissima ugualmente. Provate anche a cucinare la polenta sostituendo l'acqua con il brodo. Verrà ancora più saporita.*

---

*Be', oggi è stato troppo facile! Con quel quintale e mezzo di polenta meravigliosa che ho fatto ieri è scattato uno dei piatti del riciclo più golosi che ci siano. A proposito, l'ho detto che la farina di mais usata ieri arrivava da un cesto che la piccola Matilde ha vinto durante la tombola di Natale? Si è portata a casa anche un costosissimo massaggio offerto dalla spa dell'albergo... Ma torniamo al riciclo della polenta. Il consiglio è uno solo: forno caldo e tanto, tanto formaggio.*

*18 gennaio*
*Il riciclo della polenta*

## Polenta gratinata in forno

• polenta da riciclare
• formaggio

• burro
• grana

Tagliare la polenta avanzata a fette alte circa un dito. Disporre le fette sulla placca del forno o in una teglia foderata di carta da forno e ricoprirle a piacere con pezzetti di formaggio (potete utilizzare fontina, brie o gorgonzola), qualche fiocchetto di burro e una spolverata di grana. Infornare a 200° lasciando gratinare fino a che il formaggio non si sarà sciolto e avrà formato una deliziosa crosticina.

P.S.

*Prima di servire in tavola la polenta, aspettate qualche minuto dopo averla tolta dal forno se non volete che i commensali più golosi si ustionino la bocca!*

**22 gennaio** *Chi lo dice che quando si è soli non viene voglia di cucinare? Le*
**Oggi** *bambine erano malate e le ho spedite a letto dopo una minestrina*
**cucino** *leggera, Fabio era fuori per lavoro, e così la cucina era tutta per*
**per me!** *me. Mentre gli spaghetti bollivano, mi sono ricordata di una ricetta della mia amica Cristina, donna in carriera che non spende più di 5 minuti davanti ai fornelli. Ebbene, a volte non serve faticare tanto per un sughetto sfizioso! Perfetto anche per la bella stagione.*

## Fusilli al pâté d'olive 4

• 400 g di fusilli
• 200 g di robiola o ricotta
• 2 cucchiaini colmi di pâté
  d'olive

• 200 g di pomodori ciliegini
• abbondante basilico
• olio extravergine
• pepe

Mettere a lessare i fusilli in una pentola d'acqua bollente salata. Nel frattempo mescolare il formaggio con il pâté d'olive direttamente nella ciotola di servizio. Scolare la pasta, mescolarla al condimento aggiungendo un po' d'olio e, se necessario, un po' d'acqua di cottura oppure, se gradito, qualche cucchiaiata di sugo di pomodoro. Completare con i pomodorini tagliati a metà, abbondante basilico spezzettato e pepe.

*Tra le tante mail che ricevo dai telespettatori di Cotto e mangiato, questa mi è piaciuta molto. Me l'ha mandata un giovane poliziotto, che a fine turno si mette ai fornelli per il suo bambino. Ebbene, non solo la storia, ma anche la ricetta che mi ha passato sono da segnalare.*

*26 gennaio*
*Un cuoco*
*poliziotto*

## Cuori di nasello con crema di carote    4

- 1 confezione di filetti di nasello surgelati (8 fette)
- 3 carote
- 1 cucchiaio di brodo granulare
- 1 scalogno
- 2 o 3 filetti di acciuga
- olio extravergine
- latte
- prezzemolo
- sale e pepe

Pelare le carote, tagliarle a rondelle, metterle in un pentolino, coprirle d'acqua, aggiungere il brodo granulare e farle cuocere. Nel frattempo, in una padella soffriggere dolcemente in un po' d'olio lo scalogno tritato e le acciughe, finché queste ultime non si saranno sciolte. Adagiare nella padella i filetti di nasello scongelati e farli rosolare da entrambi i lati. Mentre i filetti cuociono, scolare le carote, che intanto si saranno ammorbidite, versarle nel mixer con un po' d'acqua di cottura e un pochino di latte, e frullare in modo da creare una cremina vellutata. Una volta che i filetti sono cotti, toglierli dalla padella e aggiungere la crema di carote al fondo di cottura. Far insaporire per un minuto e rimettere i naselli nella padella. Spolverizzare con il prezzemolo tritato e lasciare sul fuoco ancora per pochi secondi prima di servire.

*Mai avrei pensato di riuscire a preparare un ragù di pesce così buono con quel poco che avevo nel frigo! Questa me la devo proprio scrivere. Nella ricetta che avevo letto bisognava usare la gallinella... Ma io naturalmente non ce l'avevo né avevo voglia alle sei di sera di uscire per andare in pescheria con il rischio, altissimo tra l'altro, di non trovarla neanche. Così mi sono accontentata dei tranci di merluzzo che tengo sempre nel freezer ed è venuto un piatto davvero da gran ristorante.*

## Tortiglioni al ragù di pesce                4 🧍

- 300 g di tortiglioni
- 300 g di filetto di merluzzo
- 120 g di trito di verdure
  per soffritto surgelate
- 40 g di burro
- 1 bicchiere di vino bianco
- 100 g concentrato di pomodoro
- zucchero
- prezzemolo
- olio extravergine
- sale e pepe

In una padella far rosolare il trito per soffritto con il burro e una goccia d'olio. Sfilacciare con le mani i filetti di pesce in modo da ridurli a pezzetti piccoli. Metterli nella padella con il trito e rosolare per bene. Quando prendono colore sfumare con il vino, aggiungere il concentrato di pomodoro e allungare con mezzo bicchiere d'acqua (se preferite potete usare il brodo vegetale). Condire con sale, pepe e zucchero (un pizzico), coprire il tegame e lasciare cuocere circa 15 minuti. Nel frattempo lessare la pasta, scolarla e condirla con il sugo, aggiungendo all'ultimo momento il prezzemolo tritato.

*Domenica di tutto riposo. Eccezionalmente Fabio, avendo commentato la partita di sabato, è rimasto a casa con noi. Fuori pioveva... Insomma la condizione ideale per non fare assolutamente niente! Nemmeno uscire per andare a prendere le pizze. Così ho provato a fare la minestrina che mi ha consigliato La Pina, sì sì, proprio quella che conduce Pinocchio su Radio DeeJay, insieme al dj Diego. Troppo forti! E anche la sua minestrina è stata una rivelazione. Fatica zero, risultato 1000. Perfetto per una sera pigrissima come questa.*

*30 gennaio Pigrissima domenica*

## Minestrina della Pina

4

- dado vegetale o di carne
- 8 cucchiai di pastina
- peperoncino
- 1 uovo
- 1 formaggino cremoso tipo Mio o Bel Paese
- prezzemolo

Mettere sul fuoco una pentola con 750 ml d'acqua e il dado. Quando il brodo bolle versare la pastina e aggiungere un pizzico di peperoncino (a me la minestrina piace abbastanza densa per cui metto tanta pasta, ma dipende dai gusti). Una volta cotta, a fuoco spento aggiungere l'uovo mescolando bene in modo che cuocia. In ultimo unire anche il formaggino e il prezzemolo tritato.

*Una torta è sempre un gran regalo. Questo pomeriggio me ne stavo spaparanzata davanti alla televisione insieme ai bambini, quando è piombato a casa Fabio di ritorno dal lavoro dicendo: «Sei pronta per andare alla festa?». In realtà mi ero completamente dimenticata che stasera c'è la cena di compleanno di un amico di Fabio e soprattutto mi ero dimenticata di comprare il regalo. Così mi sono precipitata in cucina e, a tempo di record, ho preparato una delle torte al cioccolato più famose e golose che esistano. Niente farina ma solo mandorle tostate, tritate e amalgamate insieme al cioccolato. Meglio della solita cravatta!*

## Torta caprese

6 👤

- 300 g di mandorle pelate
- 250 g di cioccolato fondente
- 250 g di burro
- 200 g di zucchero
- 5 uova
- zucchero a velo

Mettere le mandorle sulla placca del forno foderata di carta da forno e farle tostare a 200° in forno ventilato per circa dieci minuti, fino a che non sono scurite e profumate. Tritarle nel mixer. In un pentolino, scaldare il cioccolato fondente con qualche cucchiaio d'acqua. Aggiungere il burro a pezzetti e lo zucchero e mescolare fino a ottenere una crema. Spegnere il fuoco e incorporare i tuorli d'uovo. A parte, montare gli albumi a neve ferma. Unire in una ciotola la crema al cioccolato con le mandorle tritate e incorporare delicatamente anche gli albumi montati. Foderare una tortiera di carta da forno; rovesciarvi l'impasto e farlo cuocere a 180° per circa 25-30 minuti. Raffreddare e spolverizzare di zucchero a velo.

# FEBBRAIO

*Febbraio, e abbiamo cominciato la discesa... Tra i rami degli alberi spunta già qualche gemma e a tavola ci sono tante occasioni da festeggiare e tante buone cose da mangiare! Cenette romantiche per San Valentino e una montagna di frittelle per carnevale.*

Torta alle pere

Pollo alla cacciatora

Cavolfiori saporiti

Arrosto farcito
con würstel

Risotto alle pere
e gorgonzola

Bavette sul pesce

Spaghetti ai 4 pomodori

Zuppa di cipolle

Scrigni di Venere

Frittelle

Tagliatelle al curry
e pescatrice

Risotto rosa
con pompelmo
e gamberoni

Baci di cioccolato

Crocchette di melanzane

Torta della suocera

Crostata classica
con marmellata

Budino al cioccolato vero

Risotto ai funghi

Biscottini tutto cioccolato

Involtini
a doppia impanatura

Zuppa di orzo e spinaci

1 febbraio
Ogni scusa
è buona
Questa mattina ho trovato una bella sorpresa ad aspettarmi in redazione: una cassetta di pere abate arrivate fresche fresche dall'Emilia Romagna. Un regalo molto gradito, ma che fatica portarle a casa! Una volta scaricate in cucina, mi sono subito messa a pensare a come usarle e così ho scovato quest'ottima ricetta di torta di pere, che comunque si può fare benissimo anche con le mele.

## Torta alle pere                                                6 👤

• 1 kg di pere abate abbastanza dure
• 4 uova
• 150 g di zucchero

• 150 g di burro
• 220 g di farina
• 1 bustina di lievito

Sbucciare, privare del torsolo e tagliare a tocchetti le pere, tranne una che lasceremo a spicchi e taglieremo a fettine. Sbattere i tuorli con lo zucchero finché non diventano spumosi e bianchi; aggiungere il burro sciolto (io per far prima lo metto nel microonde) e mescolare ancora. Montare gli albumi e incorporarli al composto. Aggiungere la farina e il lievito poco alla volta, senza smontare l'impasto. Da ultimo incorporare delicatamente anche le pere. Trasferire il tutto in una tortiera foderata di carta da forno. Livellare e guarnire con le fettine di pera (quella conservata a parte) disposte a raggiera. Infornare a 180° e lasciare cuocere per 30-35 minuti circa.

2 febbraio
A cena
senza fatica
La carne con il sugo ha un enorme vantaggio: la si può preparare in anticipo. Al momento di mettervi a tavola la troverete morbida e tiepida e vi godrete la cena senza più faticare. Con questa rosea prospettiva oggi pomeriggio ho preparato un sontuoso pollo

*alla cacciatora con patate arrosto e cimette di cavolfiore cucinate in maniera un po' speciale. La sera mi sono seduta a tavola come una regina.*

## Pollo alla cacciatora 4

- 1 pollo tagliato a pezzi (o solo cosce e sottocosce)
- 150 g di trito di verdure per soffritto surgelate
- 3 spicchi d'aglio
- 4 filetti di acciuga
- 1 bicchiere di vino (bianco, rosso o rosè, quello che avete!)
- 3 foglie di alloro
- 1 rametto di rosmarino
- 2 cucchiai di olive taggiasche
- 1 lattina di pomodori ciliegini pelati (potete usare anche quelli freschi)
- olio extravergine
- sale

Togliere la pelle al pollo. In una pirofila versare un po' d'olio e farvi rosolare il trito per soffritto con l'aglio schiacciato e le acciughe. Aggiungere il pollo e rosolarlo su tutti i lati per alcuni minuti. Salare e sfumare con il vino, poi unire l'alloro, il rosmarino, le olive e i pomodorini sgocciolati dal loro sugo. Coprire la pirofila e lasciar cuocere a fuoco dolce per circa mezz'ora fino a che il pollo sarà cotto e il sugo un po' ristretto.

## Cavolfiori saporiti 4

- 450 g di cimette di cavolfiori surgelate
- 1 noce di burro
- 3 cucchiai di pangrattato
- 2 cucchiai di grana
- sale

Sciogliere il burro in una padella, farci saltare le cimette di cavolfiori a fuoco vivace fino a che non sono ammorbidite e leggermente rosolate (io le metto in padella ancora surgelate; se preferite usare quelle fresche sbollentatele fino a che diventino tenere, poi passatele in padella). Aggiustare di sale e, quando sono praticamente pronte, spolverizzare con il pangrattato continuando a rosolarle per qualche minuto, mescolando delicatamente in modo che la panatura si attacchi alla verdura e abbrustolisca. Terminata la cottura, condire le cimette con una manciata di grana, mescolare ancora delicatamente e servire subito.

_4 febbraio_
_Alternativa_
_agli hot dog_
*Questa sera ho tentato con successo un ardito esperimento. Visto che Matilde ed Eleonora vanno pazze per gli hot dog, ma dato che non si può vivere di soli würstel, ho pensato di utilizzarli per farcire un goloso arrostino di vitello. Molto buono davvero. I patti però li ho messi in chiaro subito: non si mangia solo il ripieno scartando la carne di vitello, e il contorno di spinaci si finisce! Devo dire che le bimbe li hanno rispettati, anche perché la carne intorno ai würstel era diventata tenerissima e irresistibilmente aromatizzata. La prossima volta per gli adulti proverò ad aggiungere un pizzico di senape e a servire l'arrosto coi crauti. Mi viene già fame!*

## Arrosto farcito con würstel

4

- 400-500 g di vitello da arrosto
- 2 o 3 würstel
- 1 bicchiere e ½ di vino bianco
- olio extravergine
- 1 cucchiaio di senape in grani (va bene anche quella cremosa)
- salvia
- sale

Incidere la carne in modo da formare una tasca (potete anche farvela fare dal macellaio). Spellare i würstel, tagliarli a metà nel senso della lunghezza e inserirli nella tasca in modo che la riempiano completamente e non escano fuori. Chiudere il taglio con alcuni stuzzicadenti e fare rosolare la carne su tutti i lati in una padella unta d'olio. Salare, sfumare con 1 bicchiere di vino, aggiungere la senape e la salvia e cuocere a fuoco moderato e tegame coperto per circa mezz'ora (se necessario, allungare il fondo di cottura con un po' d'acqua). A cottura ultimata, togliere il coperchio, alzare il fuoco in modo da far rosolare bene la carne e restringere il sugo. Togliere l'arrosto, sfumare il fondo di cottura con il vino rimanente e far evaporare l'alcol. Servire l'arrosto tagliato a fette, con il suo sugo e patate lesse.

*La mia cassetta di pere abate è ancora mezza piena nonostante la torta... Come sfruttarle? Un suggerimento molto utile è arrivato da mia sorella Cristina che, essendo a Roma per la sua settimana di conduzione del Tg5, non è potuta venire a casa mia a prendersene un po'. In compenso mi ha regalato la sua ricetta del risotto alle pere e gorgonzola, ottimo e facile da preparare. L'ho provato subito questa sera, visto che avevo qualche amico a cena ed è stato un successo. Brava Cri!*

*5 febbraio*
*La ricetta di Cristina*

## Risotto alle pere e gorgonzola

4

- 400 g di riso
- 1 cipolla
- 1 bicchiere di vino bianco
- brodo di carne
- 150 g di gorgonzola dolce

- 3 pere non ancora mature
- olio extravergine
- qualche ago di rosmarino o fogliette di timo
- sale e pepe

Tritare la cipolla e soffriggerla in una pirofila con un po' d'olio senza farla bruciare, poi aggiungere il riso e tostarlo un po'. Sfumare con il vino e, dopo che si è un po' consumato, aggiungere poco per volta il brodo di carne (che io preparo con 1 dado o 1 misurino di dado granulare). Aggiustare di sale e di pepe e lasciare cuocere sempre facendo attenzione che il riso non si attacchi al fondo del tegame. Circa 5 minuti prima che il risotto sia cotto, aggiungere il gorgonzola a pezzetti, le pere tagliate a tocchetti e il rosmarino o il timo. Mescolare bene, completare la cottura e portare subito in tavola (una grattugiata di grana non ci sta male).

6 febbraio
Ricetta
romantica

*San Valentino si avvicina. Devo smetterla di pensare come una mamma di tre figli, tra cui un neonato che mangia solo pappe, e cercare di mettermi nei panni di una coppietta che pianifica un romantico tête-à-tête. Non sarà cosa facile... Eppure devo tirar fuori qualche ricettina adatta al caso, da proporre a Cotto e mangiato. Soprattutto, poi, vorrei anche riuscire a condividerla con Fabio... Stasera proverò un piatto che mi ha suggerito mio fratello Roberto: le bavette sul pesce, un primo molto carino che si cucina in maniera originale. La pasta, infatti, si butta cruda in padella e poi si cuoce come il risotto. Credo che l'invenzione sia da attribuire a un mitico chef della Versilia. Da lui io però ho preso solo il nome del piatto!*

*P.S. Consiglio di Robi: subito dopo aver buttato la pasta cruda nel sugo, penserete di aver fatto una solenne stron... ata (cito testualmente). Abbiate fede e pazienza: nel giro di qualche minuto, continuando a mescolare, le bavette si ammorbidiranno e voi avrete finalmente la consapevolezza di avere in mano la situazione.*

## Bavette sul pesce 2 👤

- 1 confezione di misto mare surgelato
- 200 g di bavette

- 1 cucchiaio di brodo granulare di pesce
- 4 gamberoni surgelati

Cuocere il misto mare surgelato in un tegame largo dai bordi alti fino a portarlo a bollore. A parte, far bollire una pentola d'acqua con un cucchiaio di brodo granulare di pesce (se non avete il brodo di pesce, va bene anche solo acqua calda). Buttare le bavette, intere e crude, nel tegame con il misto mare e con un cucchiaio di legno muoverle e farle insaporire. Incominciare a bagnare la pasta con il brodo, poco per volta, come fosse un risotto. Mescolare dolcemente fino a che le bavette inizieranno ad ammorbidirsi. Unire i gamberoni e portare a cottura la pasta mescolando ogni tanto e aggiungendo anche del brodo man mano che asciuga. Non è necessario salare. Servire subito, altrimenti le bavette asciugano!

### P.S.

*Se vi è piaciuta la pasta di mio fratello, mettetelo alla prova anche come scrittore!* Scheggia, *il suo ultimo libro, è bellissimo!*

---

*Questa sera ho messo da parte tutte le ricette romantiche e raffinate che dovrei provare per San Valentino. Eravamo tutti un po' stanchi, e allora, per ritemprarsi, cosa c'è di meglio di un bel piatto di spaghetti al pomodoro? Quelli che ho cucinato però sono un po' speciali e si possono servire anche*

*7 febbraio*
*Poco romantici, ma molto buoni*

*agli amici senza rischiare di risultare banali. Si chiamano ai 4 pomodori perché si usano la passata, i pomodorini, i pelati e i pomodori secchi. Insomma ho svuotato la dispensa... ma, alla fine, che gusto!*

## Spaghetti ai 4 pomodori 2 👤

- 200 g di spaghetti
- 50 g di bacon a fettine o pancetta affumicata a dadini
- ½ cipolla
- 4 pomodorini secchi
- 1 dl di passata di pomodoro

- 2 pomodori pelati
- 10 pomodori ciliegini
- peperoncino (facoltativo)
- 1 manciata di foglie di basilico
- sale

Rosolare il bacon in una padella senza olio. Una volta cotto aggiungere la cipolla tagliata fine e i pomodorini secchi tagliati a pezzettini. Far cuocere questo ricco soffritto per un po'. Poi aggiungere la passata, i pelati e i pomodori ciliegini tagliati a metà. Regolare di sale, aggiungere il peperoncino, se gradito, e far cuocere a fuoco dolce per 20 minuti a tegame coperto. Nel frattempo, lessare gli spaghetti in abbondante acqua salata, scolarli e saltarli nel sugo con il basilico spezzettato.

9 febbraio *Uno dei più sinceri sostenitori di Cotto e mangiato è il mio col-*
San *lega Angelo Macchiavello, autore, tra l'altro, della torta di Haiti*
Valentino *(la troverete a marzo). Anche questa velocissima e squisita ri-*
alla cipolla *cetta della zuppa di cipolle è sua. Ho approfittato dell'assenza delle bambine per sperimentare un piatto che forse non avrebbero apprezzato, ma chi lo sa! Le cipolle stufate dolcemente diventano così burrose e delicate che non dovrebbero nemmeno più chia-*

*marsi cipolle. Un bicchiere di vino rosso francese, il gelo dell'inverno: insomma una specie di San Valentino in anticipo!*

## Zuppa di cipolle                                    4 👤

- 400 g di cipolle
- 50 g di burro
- 1 cucchiaio di farina
- 1 litro e ¼ di brodo

- pane (baguette, pugliese o Altamura)
- emmenthal
- sale e pepe

Sciogliere il burro in una padella, aggiungere le cipolle tagliate a rondelle sottili e lasciar stufare per circa 30 minuti a fuoco dolce e tegame coperto. Alla fine spolverizzare con la farina, salare e pepare e quindi aggiungere il brodo e lasciar stufare per altri 15 minuti. Versare il tutto in piccole pirofile monoporzione, coprire con il pane tagliato a fettine e completare con emmenthal grattugiato con la grattugia a fori larghi. Mettere in forno a 200° e lasciar cuocere per 30 minuti. Al termine passare alcuni minuti alla funzione grill per far dorare la superficie.

*Questa sera sono andata sul sicuro. Ricetta suggerita da Donatella, abile cuoca del Vergilius, l'albergo proprio vicino a casa mia al mare. Si tratta di una specie di pasta alla Norma rivisitata in chiave riccionese. Infatti, invece della classica pasta di grano duro, bisogna usare le tagliatelle e tutto va poi gratinato al forno e racchiuso in un guscio di melanzane fritte... Divino! Per non parlare del nome: scrigni di Venere. Quando l'ho detto alle bambine sono impazzite. Se ne possono cucinare due versioni: quella monoporzione, un po' più lunga ma più scenografica, e quella nella teglia, più veloce.*

*10 febbraio*
*In stile riccionese*

## Scrigni di Venere                                 4 👤

- 250 g di tagliatelle all'uovo
- 2 melanzane grosse
- 1 spicchio d'aglio
- 400 g circa di polpa di pomodoro
- 1 pizzico di zucchero
- basilico
- 200 ml di besciamella pronta
- 80 g di grana
- 4 fettine di fontina
- olio extravergine
- olio per friggere
- sale

Tagliare a fette le melanzane, friggerle in abbondante olio di semi e lasciarle scolare sulla carta da cucina. Fare il sugo di pomodoro. Soffriggere prima l'aglio in una padella con un po' d'olio, aggiungere la polpa di pomodoro, lo zucchero, il basilico e aggiustare di sale. Lasciare cuocere a tegame coperto fino a che il sugo non si sarà un po' ristretto. Metterne da parte un bicchierino. Lessare le tagliatelle scolandole al dente e poi saltarle nel sugo. Mescolare bene, aggiungere la besciamella e il grana (meglio preparare il tutto con un po' di anticipo e lasciar intiepidire così sarà più facile comporre il piatto). Adesso occorre completare il piatto: potete scegliere tra due possibilità, monoporzione oppure in teglia.

*Monoporzione* (2 scrigni a testa). Su una placca da forno foderata di carta da forno adagiare 8 fette di melanzana come base. Sistemare su ognuna una bella forchettata di tagliatelle, ricoprire ogni scrigno con un'altra fetta di melanzana e una sottilissima fetta di fontina. Far gratinare in forno e, quando sono pronti, completare ogni scrigno con una piccola cucchiaiata di sugo rosso tenuto da parte.

*In teglia* (non c'è bisogno di lasciar raffreddare le tagliatelle). Foderare una teglia con una base di melanzane, versare le tagliatelle, completare ricoprendo con le altre melanzane. Distribuire le fette sottili di fontina e qualche cucchiaiata di sugo rosso. Gratinare in forno e servire.

*P.S.*

---

*Se volete essere ancora più veloci, potete friggere le melanzane a tocchetti e mescolarle direttamente al sugo prima di gratinare tutto in forno con un po' di fontina e altro sugo a completare.*

---

*È arrivato il momento, evviva! Ormai è carnevale. Oggi ho voluto fare una sorpresa alle bambine che tornavano a casa da scuola a metà pomeriggio. Appena aperta la porta, hanno riconosciuto il profumo e si sono precipitate in cucina all'urlo di: «Frittelle!».*

*12 febbraio*
*La sorpresa di carnevale*

## Frittelle

4 👤

- 1 uovo
- 3 cucchiai colmi di zucchero
- 50 ml di latte
- 50 ml d'olio extravergine
- 150 g di farina
- ½ bustina di lievito
- 1 bustina di vanillina
- olio per friggere
- zucchero a velo
- sale

Sbattere l'uovo con lo zucchero, aggiungere il latte e l'olio. Continuando a sbattere, unire la farina, il lievito, la vanillina e un pizzico di sale fino a formare una pastella densa e omogenea. Scaldare abbondante olio nella padella e versare delicatamente, aiutandosi con un dito, una cucchiaiata scarsa di impasto per volta. Friggere poche frittelle contemporaneamente a fuoco non troppo alto altrimenti bruciano. Quando saranno dorate, scolare, far asciugare su un foglio di carta da cucina e spolverizzare di zucchero a velo.

*13 febbraio* *Matilde ed Eleonora sono partite per la settimana bianca senza*
*finalmente* *di me. Quest'anno devo lavorare davvero troppo e non mi sono*
*soli!* *potuta permettere una pausa così lunga. Dunque staranno in-*
*O quasi...* *sieme ai nonni e ai cugini. Non so come farò a resistere una set-*
*timana senza di loro! Le mie amiche non fanno altro che dirmi:*
*«Vedrai che bello senza figli per un po'». Io invece non credo che*
*starò molto bene... Comunque ormai è fatta e loro si divertiranno*
*e respireranno aria buona. Il più immusonito di tutti comunque*
*è Fabio, non tanto per la mancanza delle bambine, quanto per-*
*ché nell'unico suo giorno di riposo si è dovuto fare 400 km per*
*portarle in montagna e tornare a casa. Per rallegrarlo ho messo*
*in frigorifero lo champagne e gli ho preparato una pasta speciale*
*con pescatrice e curry.*
*P.S. Meno male che c'è il piccolo Diego! Senza figli non riuscirei*
*davvero a stare.*

## Tagliatelle al curry e pescatrice     4 👤

- 250 g di tagliatelle all'uovo
- 300 g di pescatrice
- 2 zucchine
- 2 spicchi d'aglio
- 1 limone non trattato
- 1 cucchiaino di curry
- olio extravergine
- sale e pepe

Eliminare la lisca centrale della pescatrice e tagliare la polpa a tocchetti. Grattugiare la scorza di mezzo limone e farla rosolare insieme agli spicchi d'aglio, schiacciati, in una padella con l'olio, inclinandola in modo che l'aglio resti ben immerso. Quando l'aglio si sarà ammorbidito, raddrizzare la padella, unire il pesce, salare, pepare e cuocere per qualche minuto. Tagliare le zucchine a rondelle sottili o a julienne e lessarle insieme alle tagliatelle. Scolare zucchine e tagliatelle insieme, tenendo da parte ½ bicchiere d'acqua di cottura, e versarle nella padella del pesce. Aggiungere l'acqua di cottura, il curry e saltare per far prendere sapore alla pasta. Servire ogni porzione con un filo d'olio e un'ulteriore spolverata di curry.

*Domenica a casa da soli e in più è San Valentino! Questa sera Fabio e io abbiamo davvero festeggiato. Mi sono esibita in un risotto rosa con pompelmo e gamberoni più lungo da scrivere che da fare! È una ricetta che mi arriva da un avvocato milanese che segue la mia rubrica. È un piatto da tenere presente quando si vuol fare davvero bella figura. Ha un gusto unico, un connubio squisito fra l'amarognolo del pompelmo rosa e il dolce dei gamberoni. Dulcis in fundo: mentre Fabio ha stappato lo champagne, io ho aperto una preziosissima scatoletta di caviale che la cara Natasha ci ha portato dal suo viaggio in Ucraina. La tenevamo da parte per una cena con gli amici, poi questa sera ci siamo guardati negli occhi e abbiamo deciso che, con tutta la fatica che facciamo ogni giorno, quella scatoletta proprio ce la meritavamo... Anche da soli. Quello che Fabio davvero non si aspettava era il dolce che avevo preparato durante il pomeriggio: baci di cioccolato con tanto di bigliettino romantico! Buon San Valentino!*

*14 febbraio Romantico San Valentino*

## Risotto rosa con pompelmo e gamberoni

4 👤

- 400 g di riso per risotti
- 12 gamberoni (vanno bene anche surgelati)
- 3 pompelmi rosa
- 1 cipolla
- 1 bicchiere di vino bianco
- olio extravergine
- 1 noce di burro
- sale e pepe

Lasciare scongelare i gamberoni, se surgelati, e sgusciarli. Raccogliere gli scarti (testa e carapace) e farli tostare in un tegame con un goccio d'olio spremendo le teste nel tegame, in modo da recuperare tutto il gusto del pesce. Poi bagnare con circa 750 ml d'acqua, regolare di sale e lasciar cuocere a tegame coperto. Spremere il succo di uno dei tre pompelmi (attenzione: se i pompelmi sono grossi, ne bastano due, altrimenti sovrastano il gusto dei gamberoni). Gli altri due, invece, sbucciarli 'a vivo', cioè senza la pellicola bianca, sgranare la polpa e tenerla da parte. Nel frattempo procedere come per cucinare un risotto classico. Rosolare la cipolla nell'olio, lasciare imbiondire dolcemente, poi aggiungere il riso, farlo tostare e sfumare con il vino. Una volta che il vino è evaporato, sfumare anche con il succo di pompelmo; asciugato anche quello, incominciare a bagnare con il brodo di pesce (quello fatto coi gusci) fino a che il risotto sarà giunto a cottura. Da ultimo unire la polpa dei pompelmi, i gamberoni, il burro e mantecare per non più di un minuto (i gamberoni devono cuocere molto poco). Completare con un po' di pepe e portare in tavola.

## Baci di cioccolato     4-6 👤

• 120 g di nocciole
• 100 g di farina di mandorle
• 200 g di cioccolato fondente

• 2 o 3 cucchiaiate di crema
  alla nocciola (Nutella)

Tritare le nocciole grossolanamente con il mixer e mescolarle alla farina di mandorle e alla Nutella. Impastare con le mani fino a ottenere un composto non troppo morbido, ma appiccicoso. Prendere una noce di composto per volta, arrotondarla delicatamente con le mani e procedere così con tutto l'impasto per ricavare tante palline. Spezzettare il cioccolato, metterlo in un tegamino e farlo fondere a bagnomaria senza aggiungere acqua. Spegnere il fuoco e immergere le palline nel cioccolato fuso con l'aiuto di un cucchiaino, poi deporle delicatamente su un vassoio ricoperto di carta da forno. Lasciare solidificare anche una notte intera.

*P.S.*

*Se siete romantici, avvolgete i baci nella stagnola
e nascondete in ciascuno un bigliettino!
Suggerimento di Giusi, autrice della ricetta.*

---

*Oggi ho registrato Cotto e mangiato e, cosa che non mi capita quasi mai, ho cucinato un piatto senza averlo provato prima. Ero abbastanza sicura perché la ricetta mi arrivava da Massimilia, la mamma della mia carissima amica Rosa. Insomma, per farla breve, ho fatto queste crocchette di melanzane e il risultato è stato strepitoso. Mi sono venute gonfie, profumate, croccanti... Talmente buone che persino le bambine, che generalmente non amano molto le melanzane, se le sono mangiate volentieri.*

15 febbraio
Super
crocchette

## Crocchette di melanzane                    4 &#9823;

- 2 melanzane medie
- 1 uovo
- 3 cucchiai di pangrattato
- 4 cucchiai di grana
- 1 ciuffo di prezzemolo
- farina
- olio per friggere
- sale

Sbucciare le melanzane e tagliarle a tocchetti abbastanza grossi. Farle bollire per pochi minuti in acqua salata finché non si saranno ammorbidite, scolarle e schiacciarle un po' con la forchetta in modo che perdano l'acqua in eccesso. Versare i tocchetti di melanzana in una ciotola unire l'uovo, il pangrattato, il grana e il prezzemolo tritato, e amalgamare tutti gli ingredienti. Se l'impasto rimane troppo molle, aggiungere altro pangrattato e grana. Quando si sarà ottenuto un impasto morbido ma facile da manipolare, infarinare un tagliere, prendere una cucchiaiata di impasto, adagiarla sulla farina e ricavarne una crocchetta. Continuare così fino a esaurimento del composto. Scaldare abbondante olio di semi in una padella e friggere le crocchette in modo che risultino dorate. Servire subito.

17 febbraio
Il bello delle suocere

*Meno male che ci sono i telespettatori di Cotto e mangiato che mi aiutano, altrimenti come le troverei tutte le mie ricette? Oggi, per esempio, ho fatto una torta squisita in 5 minuti. Non esagero: tutti gli ingredienti nel frullatore e via. Merito di una giovane sposina che ha ricevuto la ricetta dalla suocera... Per questo l'ha ribattezzata 'torta della suocera'.*

## Torta della suocera 6 👤

- 3 uova
- 10 cucchiai di farina
- 10 cucchiai di zucchero
- 1 bustina di vanillina
- 1 bustina di lievito

- 200 ml di panna fresca
- granella di zucchero
- meringhette
- zucchero a velo

Mettere tutti gli ingredienti nel mixer e frullare fino a che non si sarà creata una crema vellutata. Trasferire la crema in una tortiera precedentemente foderata di carta da forno. Guarnire a piacere con granella di zucchero e meringhette sbriciolate oppure, una volta che la torta è cotta e raffreddata, spolverizzare con zucchero a velo. Mettere in forno a 180° e lasciare cuocere per 30 minuti circa.

*Evviva, oggi sono tornate le bambine dalla montagna e in un secondo la casa ha ricominciato a essere un vero manicomio! Non erano ancora entrate che già c'era confusione. Mamma mi aiuti qui, mamma mi accompagni in bagno, mamma mi fai compagnia... Il povero Diego aveva gli occhi fuori dalle orbite dopo una settimana da figlio unico e non sapeva più dove guardare... Però era molto felice. Per festeggiare l'arrivo delle due streghette ho finalmente fatto la crostata che Eleonora mi chiede da sempre. Dovendo inventarmi sempre nuove ricette per Cotto e mangiato, non ho mai il tempo di prepararle il più classico dei dolci. Ebbene, oggi mi sono armata di pazienza e ho fatto tutto per bene: pasta frolla, strisce per il decoro, marmellata buona. Senza scorciatoie! È venuta una bontà assoluta.*

*19 febbraio*
*Pasta frolla senza scorciatoie*

## Crostata classica con marmellata

- 125 g di burro
- 100 g di zucchero
- 1 uovo
- 250 g di farina

- 1 bustina di vanillina
- 1 vasetto intero di marmellata a piacere
- sale

Lasciare ammorbidire il burro e mescolarlo con lo zucchero, aggiungere l'uovo e lavorare ancora per breve tempo. Unire la farina con la vanillina e il sale, e impastare con la punta delle dita fino a ottenere una palla di pasta (non lavorare troppo a lungo, mi raccomando). Avvolgere il panetto nella pellicola e farlo riposare in frigorifero 1 ora oppure 20 minuti in freezer. Stendere poi la pasta frolla tra due fogli di carta da forno (io la faccio diventare piuttosto sottile). Foderare la tortiera con la sfoglia di pasta frolla lasciando sotto la carta da forno con cui l'abbiamo stesa e togliere con la rotella la pasta in eccesso sui bordi. Impastare nuovamente gli scarti di frolla, stenderli tra due fogli di carta da forno e lasciarli riposare in freezer. Bucare la base della torta con la forchetta e ricoprirla abbondantemente di marmellata. Recuperare dal freezer la sfoglia fatta con gli avanzi di frolla e, con la rotella o con il coltello, ricavarne delle strisce larghe circa un dito. Disporle a scacchiera sulla marmellata con le estremità appoggiate al bordo della torta. Non preoccupatevi se c'è qualche piccola giunta, la cottura aggiusterà tutto. Mettere in forno a 200° e cuocere per 25 minuti (io concludo la cottura con qualche minuto di calore solo sotto).

Eleonora ha apprezzato molto la sua crostata, anche se quella che ne ha mangiata di più alla fine sono stata io. Il problema è che Matilde se l'è subito presa a male: «Perché a Eleonora un dolce e a me niente?». Come se a casa mia di dolci ne passassero pochi! Comunque la richiesta di Mati si è rivelata di gran lunga meno impegnativa di quella della sorella. Voleva semplicemente il budino al cioccolato, quello che si fa bollendo il latte con le bustine. Il problema però era che di bustine io non ne avevo nemmeno una. Così, davanti alla prospettiva di vestire tre bambini (di cui uno neonato), posizionarli sui seggiolini della macchina, legarli per bene, raggiungere il supermercato, parcheggiare la macchina, infilare tutti nel carrello, comprare le bustine, risalire in macchina, eccetera eccetera, ho preferito fare come facevano le nostre nonne: ovvero il budino senza bustine. Che rivelazione. Sicuramente più sostanzioso, ma molto più buono! La ricetta mi arriva da Chiara.

*20 febbraio*
*A ognuno il suo dolce*

## Budino al cioccolato vero                    6 👤

- 100 g di burro
- 200 g di zucchero
- 100 g di farina
- 1 litro di latte
- 100 g di cioccolato fondente
- panna montata

Mettere il burro in un tegame e scioglierlo dolcemente sul fuoco. Sempre mantenendo il tegame sul fuoco, unire la farina e far tostare leggermente; aggiungere anche lo zucchero e far sciogliere fino a che si sarà leggermente caramellato. Unire anche il cioccolato e, quando sarà sciolto, diluire il tutto con il latte freddo. Continuare la cottura, sempre mescolando, fino a che il composto arriverà a bollore. Lasciar sobbollire per un minuto, senza smettere di mescolare, spegnere e versare in uno stampo. Lasciar raffreddare e poi mettere in frigorifero. Sformare il budino rovesciando lo stampo su un piatto da portata e guarnire a piacere con panna montata.

<u>22 febbraio</u>  *Questa sera mangeremo uno dei piatti preferiti di Fabio: il risot-*
*Anche* *to ai funghi. Gli piace talmente tanto che lo faccio spesso, anche*
*senza andar* *quando di porcini freschi in giro non se ne trovano. Basta qual-*
*per boschi* *che accorgimento e viene comunque squisitissimo.*

## Risotto ai funghi                                              6 **

- 400 g di riso
- 1 cipolla
- 1 confezione di funghi secchi
- 1 confezione di funghi porcini
  surgelati
- 1 bicchiere di vino bianco

- brodo di carne fatto con il dado
- 40 g di burro
- grana
- prezzemolo
- sale e pepe

Come prima cosa, mettere a bagno i funghi secchi (se non avete tempo, bastano anche solo 5 minuti in acqua tiepida). Nel frattempo affettare sottilmente la cipolla e farla rosolare in una pirofila con un po' d'olio. Tagliare in pezzetti molto piccoli i funghi secchi ammollati (non è importante che si vedano tanto, ma che diano tanto sapore!) e quando la cipolla incomincia a rosolare unirli al soffritto e far insaporire. Dopo poco aggiungere anche i funghi ancora surgelati e continuare a cuocere. Quando saranno scongelati per bene, versare il riso nel tegame e farlo tostare, quindi sfumare con il vino e, un po' per volta, allungare con il brodo. Aggiustare di sale e pepe. Quando il risotto è praticamente pronto, spegnere il fuoco, aggiungere il burro e il grana e mantecare mescolando vigorosamente. Da ultimo aggiungere il prezzemolo tritato, ancora una macinata di pepe e portare in tavola.

*Per noi che amiamo il cioccolato, oggi è stata una festa. Ho provato a fare dei biscottini la cui ricetta mi è arrivata da una telespettatrice di Cotto e mangiato. Dico solo questo: cioccolato fuso, cacao amaro e gocce di cioccolato! Delle vere e proprie bombe, fatte apposta per far innamorare gli amanti del genere. Nella mia cucina è scattata la gara a chi ripuliva le stoviglie... una golosità unica. Naturalmente, da brava mamma, ho dovuto cedere il cucchiaio a Eleonora e la ciotola a Matilde. Mi sono rifatta quando ho sfornato i biscotti.*

*24 febbraio*
*La festa del cioccolato*

## Biscottini tutto cioccolato                     6 👤

- 125 g di cioccolato fondente
- 125 g di burro
- 125 g di zucchero
- 2 uova
- 150 g di farina
- 50 g di cacao
- 1 cucchiaino di lievito
- 200 g di gocce di cioccolato o cioccolato a scaglie
- sale

Mettere il cioccolato fondente in un tegamino e scioglierlo a fuoco dolcissimo con una goccia d'acqua. Aggiungere, sempre tenendo il tegamino sul fuoco, il burro e lo zucchero. Trasferire la crema in una ciotola e incorporare le uova. Miscelare a parte la farina con il cacao, il lievito e un pizzico di sale e incorporare alla crema. Infine unire le gocce di cioccolato. Stendere la carta da forno sulla placca del forno e distribuirvi l'impasto a cucchiaiate (oppure, se l'avete, usate l'utensile con cui si fanno le palline di gelato) tenendole ben distanziate tra loro. Infornare a 170° e lasciare cuocere per 12 minuti.

P.S.

*Voglio provare a sostituire il cacao con la stessa quantità di corn flakes tritati per un risultato più crispy.*

27 febbraio *Oggi è sabato e le bambine sono al cinema con Fabio, Diego si*
Un attimo *è addormentato sul suo seggiolone in cucina e così ho trovato il*
di pace *tempo di fare gli involtini a doppia impanatura. Ricetta di Manuela, che lavora nella mia boutique preferita. Di solito da lei mi faccio dare consigli sul look... ma d'ora in avanti la consulterò anche riguardo alla cucina. Gli ingredienti sono i più semplici del mondo, ma, se avete la pazienza di prepararli come si deve, non li abbandonerete più!*

## Involtini a doppia impanatura                    4 👤

- 400 g di carpaccio di manzo
- 100 g di pangrattato
- 50 g di grana grattugiato
- margarina
- una manciata abbondante di prezzemolo tritato
- olio extravergine
- sale

Preparare l'impanatura miscelando il pangrattato, il grana e il prezzemolo. Spalmare ogni fettina di carpaccio con un po' di margarina, ricoprire con abbondante impanatura e arrotolare in modo da formare un involtino stretto e lungo

*Torta caprese (pag. 104)*

*Arrosto farcito con würstel (pag. 108)*

*Gamberoni al sesamo con salsa agrodolce (pag. 142)*

*Spaghettini allo scoglio (pag. 154)*

(il vostro rotolino assomiglierà un po' a un sigaro). Spalmare l'involtino di margarina e impanarlo anche all'esterno (se gli involtini sono troppo lunghi, dividerli a metà). Preparare degli spiedini lunghi infilzando tre involtini su ciascun spiedo. Cuocere in padella a fiamma dolce, con poco olio, fino a che gli involtini non saranno ben rosolati. Aggiustare di sale.

*Domenica, giornataccia di pioggia. Spero una delle ultime, visto che domani è finalmente il primo marzo... Comunque, per sfruttare al meglio questo tempo da lupi, ho deciso di fare una buona zuppa fumante, una ricetta di Francesca, nella speranza che questi piatti bollenti tra poco diventino inadatti, proprio come le sciarpe e i piumini... In ogni caso, è venuta squisita! Con orzo e spinaci, tirata quasi come un risotto e condita con tanto olio e grana: una specie di mantecatura. In fondo anche l'inverno ha i suoi vantaggi.*

*28 febbraio*
*A metà tra zuppa e risotto*

## Zuppa di orzo e spinaci

4 👤

- 200 g di orzo perlato
- 100 g di spinaci surgelati
- 1 cipolla piccola
- 1 dado
- grana grattugiato
- 50 g olio extravergine
- sale

Mettere in una pentola gli spinaci surgelati, l'orzo, la cipolla tagliata fine, il dado e circa 500-600 ml d'acqua. Regolare di sale, porre sul fuoco e lasciare cuocere per circa mezz'ora. Controllare spesso la cottura perché gli ingredienti non si attacchino al tegame, aggiungendo poca acqua per volta perché la nostra zuppa dovrà essere molto densa e avere quasi la consistenza di un risotto, non di una minestra in brodo. Quando l'orzo è arrivato a cottura e il brodo è praticamente consumato, spegnere il fuoco e mantecare con abbondante grana e olio extravergine. Servire ben calda.

P.S.

*Secondo Francesca più spinaci ci sono, più buona diventa la zuppa. Dunque abbondate pure con le dosi!*

# MARZO

La tavola cambia colore: verdure tenere e fresche, insalatine, le prime fragole. Finalmente arriva la primavera e anche la tavola si veste di nuovo! Il verde dei primi carciofi e degli asparagi freschi mi ispira sempre qualche nuova ricetta, ma alla fine, quando la verdura è davvero buona, meno la si pasticcia, meglio è!

Rotolo di marmellata

Tagliatelle alla crema di porri e pancetta dolce

Straccetti con senape e limone

Torta di pane di Haiti

Insalata con crostini aromatizzati

Roselline di lasagne

Polpette

Spinaci e carciofi d'accompagnamento

Cosciotto di tacchino saporito

Focaccia pugliese con pomodorini

Crème brûlée

Gamberoni al sesamo con salsa agrodolce

Pizzelle con pomodoro e mozzarella

Carpaccio delicato

Pasta in bianco gratinata

Cotolette con impanatura speciale

Quadrotti di cocco e banane

4 marzo
Dolce
ripieno *È davvero un periodaccio per la mia linea! Oggi mi sono messa a fare il rotolo farcito di marmellata. Un classico che ha fatto impazzire le mie bambine e anche me, con tè a merenda! Morbidissimo, cuoce in un lampo e si farcisce come si vuole.*

## Rotolo di marmellata

6

- 5 tuorli
- 150 g di zucchero
- 4 albumi
- 100 g di farina
- 1 bustina di vanillina
- marmellata o Nutella

Sbattere i tuorli con lo zucchero, montare gli albumi a neve e incorporarli all'impasto mescolando dal basso verso l'alto. Miscelare la vanillina e la farina, e unirle al composto facendole passare attraverso un colino, continuando sempre a mescolare. Foderare di carta da forno, bagnata e strizzata, una teglia rettangolare abbastanza grande, circa 25 x 35 cm, e versarvi l'impasto. Mettere in forno a 230° e cuocere per 5 minuti. Sfornare, spalmare la superficie con la farcitura preferita (non esagerate, altrimenti uscirà tutta: a me è successo!) e arrotolare la base di pasta con l'aiuto della carta da forno con cui è stata foderata la teglia. Utilizzando la stessa carta da forno, chiudere il rotolo come fosse una caramella serrando bene le due estremità e lasciar raffreddare. Aprire, tagliare a rondelle e spolverizzare con zucchero a velo.

6 marzo
Una bella
cena *Questa sera Fabio mi ha chiesto se poteva venire a cena con qualche amico per vedere poi la partita. E come negarglielo, dopo la confusione che gli faccio subire ogni giorno con le registrazioni di Cotto e mangiato? Così ho approfittato per fare*

130

*qualche esperimento. Ho preparato delle tagliatelle con pancetta e crema di porri che hanno riscosso un gran successo (tipico piatto da uomo!). Per secondo avevo solo delle bistecchine di vitello, ma mi sembrava un po' triste presentare la classica fettina. Allora le ho ridotte in straccetti e poi marinate in limone, senape e tabasco. Infine le ho fatte saltare con una manciata di fagiolini bolliti che giravano da un po' nel frigo: risultato ottimo. Mi sono divertita e mi sono accorta che, con la scusa della trasmissione, era una vita che non facevo una bella cena!*

*P.S. Non avevo il dolce, ma ho aperto una confezione di cantucci toscani e ho sbottigliato un vin santo.*

## Tagliatelle alla crema di porri e pancetta dolce

4 🔺

- 250 g di tagliatelle all'uovo
- 2 porri
- 1 cucchiaino di dado granulare vegetale
- 120 g di pancetta dolce a dadini
- 4 foglie grandi di salvia
- olio extravergine
- sale e pepe

Tagliare ad anelli i porri utilizzando anche un pezzetto della parte verde. Farli rosolare con poco olio in una padella. Quando i porri sono appassiti, aggiungere un bicchiere d'acqua, il dado granulare e il sale. Coprire la padella e attendere che i porri si siano ammorbiditi e il brodo quasi completamente asciugato. Nel frattempo, in un'altra padella rosolare dolcemente anche la pancetta con pochissimo olio, unire la salvia tagliata a striscioline e finire la cottura. Versare i porri nel mixer e ridurre il tutto a una crema. Trasferire la crema nella padella della pancetta. Lessare le tagliatelle e scolarle al dente conservando almeno due mestoli d'acqua di cottura. Versare le tagliatelle nella padella con il sugo e farle saltare velocemente, aggiungendo un po' d'acqua di cottura. Completare con una macinata di pepe.

## Straccetti con senape e limone 4

- 4 fettine di vitello
- 4 cucchiai di senape
- 1 limone
- qualche goccia di tabasco
  a piacere

- 200 g di fagiolini
- farina
- ½ bicchiere di vino bianco
- olio extravergine
- sale

Tagliare le fettine di vitello a striscioline e raccoglierle in una ciotola. Emulsionare qualche cucchiaio d'olio con la senape, il succo del limone e il tabasco; condire gli straccetti con la marinata e far riposare. Lessare i fagiolini e scolarli. Scaldare una padella unta d'olio, sgocciolare gli straccetti, infarinarli e farli rosolare velocemente aggiustando di sale. Unire quindi anche il resto della marinata, sfumare con il vino e, quando sarà evaporato, aggiungere in padella anche i fagiolini. Saltare velocemente e portare in tavola.

---

*10 marzo*
*Il calore*
*di casa*

*Questa ricetta sembra fatta apposta per Cotto e mangiato. Non solo perché è buona e semplice, ma anche perché nasce da una bella storia. Si tratta della classica torta di pane fatta con gli avanzi che restano in dispensa. Ma la cosa più bella è che Angelo Macchiavello, inviato storico di Studio Aperto, quando è stato ad Haiti dopo il terribile terremoto, l'ha cucinata per i medici, i volontari e i pazienti dell'ospedale. Ha messo insieme pane, latte, uvetta, zucchero e uova (tutte cose che avevano portato gli americani) ed è riuscito a portare un po' del calore di una casa in un posto dove la maggior parte della case non esistevano più. Bravo Angelo!*

## Torta di pane di Haiti 6 👤

- 1 kg di pane secco
- 1 litro di latte
- 3 uova
- 8 cucchiai colmi di zucchero
- 100 g di uvetta
- 40 g di pinoli
- 4 o 5 prugne secche a pezzi
- 4 o 5 albicocche secche a pezzi
- la scorza di un'arancia

Versare il latte in una ciotola e mettervi il pane ad ammollare. Quando si è ammorbidito ridurlo a una vera e propria poltiglia, lavorando con le mani. Se è necessario, aggiungere altro latte. Aggiungere le uova, lo zucchero e tutti i tipi di frutta secca, e amalgamare il composto. Da ultimo unire la scorza d'arancia grattugiata. Foderare una teglia rettangolare con la carta da forno, versarci il composto, mettere in forno a 180° e cuocere per circa 40 minuti (la torta sarà cotta quando la vedrete gonfiarsi un po'). Mi raccomando, conservatela coperta dalla pellicola altrimenti indurisce.

*Che disastro: ho talmente tanto da fare che ultimamente mi ritrovo a mangiare solo panini! Davvero l'ideale, proprio adesso che arriva la primavera... Questa sera ho deciso: insalata. Mi sa che i miei mi manderanno al diavolo! Quella che ho in mente però non*

*15 marzo*
*Cenetta*
*light*

133

è un'insalata qualunque. *La particolarità sta nei crostini aromatizzati alla senape, pâté d'olive e pasta d'acciughe. Avevo giusto ancora da far fuori un po' di pane e di focaccia avanzati!*

*P.S. Inutile, alla fine ho ceduto e ho dovuto mettere su anche un po' di pastasciutta per Matilde ed Eleonora. Il pesto disponibile non era sufficiente, così l'ho mescolato con la ricotta che avevo in frigorifero. Un po' d'acqua di cottura per rendere cremoso il tutto ed è venuto uno spettacolo! Anche il povero Fabio guardava quella pasta con un po' d'invidia. Alla fine ha ceduto anche lui!*

## Insalata con crostini aromatizzati

*per i crostini*

- 1 pagnotta secca o un pezzo di focaccia
- pâté di olive
- pasta d'acciughe
- senape
- 1 uovo
- olio extravergine

*per l'insalata*

- 1 busta di misticanza
- 12 pomodori ciliegini
- 1 cipollotto
- sale e pepe

Tagliare a dadini il pane o la focaccia. Spalmare tutti i lati di ogni dadino con una salsa diversa (senape, pasta d'acciughe, pâté di olive). Sbattere l'uovo, immergervi velocemente i dadini poi buttarli in una padella leggermente unta d'olio. Farli saltare a fuoco vivace quanto basta perché risultino croccanti e dorati. Toglierli dal fuoco e lasciarli raffreddare per pochi minuti. Nel frattempo disporre l'insalata in un piatto da portata, aggiungere i pomodorini tagliati a spicchi e il cipollotto affettato sottilmente. Condire l'insalata a piacere e completarla con i dadini croccanti.

*Festa del papà. Naturalmente questa sera il menu lo ha scelto Fabio: polpette. Fortunatamente tengo sempre un po' di carne tritata nel freezer, così l'ho sgelata a tempo di record alle 18.30 e con l'aiuto di Eleonora, che in cucina non manca mai, ho fatto delle deliziose 'palline', come le chiamavamo a casa mia io e i miei fratelli. Niente sugo rosso. A Fabio piacciono in bianco, morbide e leggermente abbrustolite. Le ho servite accompagnate da un bel piattone di verdure: spinaci, carciofi e qualche patata al forno. Non troppe patate, altrimenti le bambine le altre verdure non le guardano nemmeno! Comunque, un piccolo esperimento l'ho voluto fare lo stesso. Vista la ricorrenza, ho azzardato anche un primo... Lo chiamerei romanticamente 'roselline di lasagne'. Me l'ha suggerito una telespettatrice. Velocissimo, delizioso e davvero d'effetto!*

*19 marzo*
*Menu scelto dal papà*

## Roselline di lasagne

4

- 4 o 5 sfoglie da lasagne pronte
- fette di formaggio tenero
- prosciutto cotto a fette

*per il condimento*
- 1 bicchiere di passata di pomodoro
- 1 spicchio d'aglio
- 1 cucchiaino raso di zucchero
- 2 o 3 foglie di basilico
- 1 bicchiere di brodo (acqua e dado granulare)
- grana
- sale e pepe

Versare in una casseruola la passata con l'aglio, lo zucchero, il basilico, sale e pepe. Mettere al fuoco e fare cuocere dolcemente, a tegame coperto. Ricoprire il fondo di una pirofila con la carta da forno. Stendere le sfoglie di pasta sul piano di lavoro e coprire completamente ciascuna con una o più fette di prosciutto cotto e 3 fette di formaggio tenero. Arrotolare le sfoglie partendo dal lato più corto. Tagliare ogni rotolo a rondelle spesse un dito e posizionarle nella teglia in modo che stiano molto vicine (se fate fatica ad arrotolare e tagliare la sfoglia perché è troppo secca e tende a rompersi, prima sbollentatela). Una volta riempita la teglia di roselli-ne, bagnarle con il brodo, condirle con il sugo preparato e completare con una spolverata abbondante di grana grattu-giato. Mettere in forno a 180° e cuocere per 20 minuti circa, poi passare qualche minuto alla funzione grill.

## Polpette                                          4-6 👤

- 500-600 g di carne di manzo tritata
- 2 uova
- 1 pagnotta di pane ammollata nel latte
- 100 g di grana
- noce moscata
- farina
- olio extravergine
- sale

Versare in una ciotola la carne, aggiungere le uova e amal-gamare con le mani. Unire il pane ammollato nel latte e strizzato un po' ma non troppo. Aggiungere il grana, il sale e la noce moscata e continuare ad amalgamare con le mani. Controllare la consistenza dell'impasto che non deve essere troppo asciutto (eventualmente aggiungere ancora un po' di latte) e nemmeno troppo morbido (in questo caso unire altro grana o farina). Prendendo un po' di impasto per volta preparare le polpette, grandi come le palline del ping pong. Passarle nella farina e metterle direttamente nella padella con l'olio. Finito di preparare le polpette, mettere la padella sul fuoco e far cuocere 15 minuti circa girando le polpette a metà cottura con molta delicatezza (non le friggo per immersione, ma le soffriggo dolcemente in un po' d'olio). Non riempire troppo la padella, altrimenti non si riesce a girarle. A cottura ultimata lasciar intiepidire e servire.

## P.S.

*In onore della primavera questa volta ho comprato gli spinaci freschi, invece dei soliti surgelati. Io li faccio sempre nello stesso modo. Freschi anche i carciofi, ma già puliti; ho controllato comunque che non ci fossero foglie troppo dure.*

## Spinaci e carciofi d'accompagnamento

4-6 &#x265F;

- 400 g circa di spinaci freschi
- 1 manciata di uvetta
- 1 cucchiaino di pinoli
- noce moscata
- 4 carciofi

- 2 spicchi d'aglio
- 1 ciuffo di prezzemolo
- olio extravergine
- sale

Sciacquare gli spinaci sotto l'acqua corrente, poi buttarli in una capace pentola senza sgocciolarli, ma senza aggiungere altra acqua. Cuocere per 10 minuti a fuoco medio e tegame coperto (così facendo cuoceranno senza diventare acquosi e slavati). Una volta cotti, strizzarli ancora un po' per sicurezza, poi trasferirli in una padella appena unta d'olio e farli saltare pochi minuti a fuoco vivace con l'uvetta, i pinoli e una grattata di noce moscata. Regolare di sale. Per i carciofi. Eliminare eventuali foglie esterne troppo dure, tagliarli in quattro e lasciarli a bagno in acqua e limone. Nel frattempo far rosolare l'aglio schiacciato in una padella con un po' d'olio, poi

aggiungere i carciofi e farli rosolare a fuoco medio e tegame coperto per circa 10 minuti. Salare e, quando i carciofi cominciano ad abbrustolire troppo, bagnare con ½
bicchiere d'acqua. Abbassare il fuoco, aggiungere un po'
di prezzemolo tritato e far cuocere dolcissimamente con
il coperchio fino a che l'acqua non si sarà asciugata e i
carciofi non saranno diventati tenerissimi. In ultimo, rial-
zare un attimo il fuoco per scongiurare l'effetto 'verdura
bollita' e portare in tavola.

<br>

<table>
<tr><td>

21 marzo

Come
Asterix e
Obelix

</td><td>

*Domenica: primo giorno di primavera, nonché mio onomastico!
La mattina, appena svegli, abbiamo messo la musica a palla in
soggiorno e abbiamo cantato e ballato a squarciagola per la gioia
dei vicini. Bisognerà pur far conoscere alle bambine chi era Batti-
sti! Poi Fabio è dovuto andare a lavorare e il resto della giornata
è proseguito più tranquillo. In vista della Pasqua ho cominciato a
fare qualche esperimento in cucina. Innanzitutto ho trovato un'al-
ternativa all'abbacchio al forno, che ho già cucinato lo scorso anno
e che costa pure un occhio della testa! Due belle cosce di tacchino,
che fanno tanto cena di Asterix e Obelix, condite con un sugo
saporito per dare carattere a una carne altrimenti davvero un po'
troppo banale. Poi, da proporre per il picnic di Pasquetta, ho fatto
una focaccia fenomenale, ricetta pugliese della carissima Albarosa.
Persino Fabio, che ultimamente nei confronti delle mie ricette fa
un po' il sostenuto, ha ceduto, tornando in cucina dopo cena alme-
no tre volte per tagliarsene qualche altro pezzetto. Meno male, vi-
sto che ieri ho provato a fare le piadine in casa: una vera schifezza!
Appena trovo la ricetta giusta, giuro che la scrivo!*

</td></tr>
</table>

## Cosciotto di tacchino saporito          4-6 👤

- 2 cosciotti di tacchino
- aglio
- 1 cucchiaio di capperi
- 1 cucchiaio di olive nere
- 4 pomodorini secchi
- 2 filetti di acciuga
- 1 bicchiere di vino bianco
- alloro
- rosmarino
- olio extravergine
- sale e pepe

Adagiare i cosciotti in una teglia unta d'olio e strofinarli con l'aglio, che poi resterà nella teglia. Condire con capperi, olive, pomodorini secchi tagliati a pezzetti piccoli, acciughe, vino bianco, alloro, rosmarino, sale e pepe. Mettere in forno a 180-200° e cuocere per 1 ora circa. Se vedete che non rosolano, convertire alla funzione ventilato; se invece tendono a bruciare troppo, coprire con un foglio di alluminio. Girare i cosciotti una o due volte e controllare che il sugo non si asciughi troppo; in questo caso allungare con altro vino o acqua. Togliere dal forno, sistemare sul piatto da portata e servire.

## Focaccia pugliese con pomodorini          4-6 👤

- 500 g di farina
- 1 patata media
- 1 bustina di lievito di birra granulare
- zucchero
- olio extravergine
- pomodorini
- sale

Lessare la patata, sbucciarla e passarla nello schiacciapatate finché è ancora calda e metterla in una ciotola. Miscelare la farina con un pizzico di zucchero e il lievito e unire il tutto alla patata. Incominciare ad amalgamare aggiungendo qualche cucchiaio d'olio e tanta acqua tiepida quanto basta per ottenere un impasto elastico e omogeneo. Aggiustare di sale e lavorare sul piano di lavoro con le mani per circa 10 minuti. Lasciar riposare la pasta nella ciotola, coperta con un canovaccio, per almeno 40 minuti. Trasferire l'impasto sulla placca del forno foderata di carta da forno unta d'olio. Stendere la focaccia con le mani e non con il mattarello. Ricoprirla con i pomodorini tagliati a metà, schiacciandoli un po' nell'impasto, completare con olio e sale. Mettere in forno ventilato a 200° e lasciare cuocere per circa 15 minuti.

*26 marzo*
*Esperimento*
*più che*
*riuscito*

*Oggi ho comprato dei pirottini deliziosi: ciotoline di ceramica che vanno in forno e si possono portare in tavola per il dessert. Dunque ho provato subito a fare la crème brûlée, crema semisolida aromatizzata alla vaniglia con la superficie croccante e caramellata. È venuta una meraviglia. Il difficile sarà riuscire a difenderla per la mia cena di domani. Dovrò mettere il lucchetto al frigo?*

## Crème brûlée

**6-8 ciotoline**

- 250 ml di panna
- 1 busta di vanillina
- 4 uova
- 80 g di zucchero
- zucchero di canna

Scaldare la panna con la vanillina senza farla bollire. Sbattere i tuorli con lo zucchero e, continuando a mescolare, unire la panna calda e amalgamare. Distribuire la crema ottenuta in piccole cocotte (ciotoline anche da forno) oppure nelle formine da muffin (vanno bene anche quelle di alluminio usa e getta). Mettere le ciotoline in forno e cuocere a bagnomaria (cioè parzialmente immerse nell'acqua) a 180° per circa 35 minuti. Farle raffreddare e metterle in frigo. Al momento di servire, toglierle dal frigo, spolverizzarle con lo zucchero di canna e metterle di nuovo in forno, nella parte più alta, sempre a bagnomaria. Lasciarle per pochissimi minuti con la funzione grill alla massima potenza finché si formerà una crosticina dura e croccante. Portarle subito in tavola.

*Finalmente questa sera, sabato, ho ospiti! Con tutto il lavoro che ho, i bambini e il resto, non riesco mai a ricambiare un invito. Si tratta di 4 amici, che mi hanno fatto giurare che non mi affaticherò troppo. Solo un aperitivo. Così, dal momento che nel freezer ho una bella confezione di gamberoni giganteschi, li ho sgelati e ho provato a impanarli nel sesamo e a servirli fritti con una salsina agrodolce. Che buoni! L'unico problema è che la salsina, una volta raffreddata, si è solidificata un po' troppo: colpa del caramello. Bisogna farla bollire molto meno!*
*Prima di friggere i gamberi, comunque, visto che avevo l'olio caldo, ho fatto le pizzelle e le ho servite accanto a un enorme piatto di salumi. Le pizzelle sono delle pizzette sfiziose e facilissime perché si possono preparare con la pasta della pizza, quella già pronta che vende il panettiere o che si trova confezionata al super. Basta farla lievitare un po' e preparare un buon sugo di pomodoro. Divine!*
*Alla fine non ho resistito a fare anche un altro piattino: carpaccio con salsina cremosa e punte di asparagi. Ho presentato le fettine di carne piegate a rosellina con la crema e gli asparagi a guarnire. Sembrava un quadro. Per concludere, insieme alla colomba, la crème brûlée di ieri. Insomma, alla fine l'aperitivo si è trasformato in una cena, ma nessuno si è lamentato!*

*27 marzo*

*Aperitivo ricco o cena?*

## Gamberoni al sesamo
## con salsa agrodolce

4-6 ♟

- 12 gamberoni
- 1 albume
- semi di sesamo

- olio per friggere
- sale

*per la salsa*

- 2 dl di aceto di mele
- 100 g di zucchero

- un pizzico di peperoncino
- 4 fettine di radice di zenzero

Sgusciare i gamberoni, privarli della testa ma conservare l'estremità della coda. Passarli nell'albume leggermente sbattuto e poi impanarli nei semi di sesamo. Nel frattempo mettere tutti gli ingredienti della salsa in un pentolino e far bollire per breve tempo finché il composto non diventa sciroppposo (se raffreddandosi tende a solidificare, scaldare nuovamente e allungare con un po' d'acqua). Friggere i gamberoni in olio di semi e servirli tiepidi insieme alla salsa in una ciotolina a parte.

## Pizzelle con pomodoro e mozzarella

6 ♟

- 500 g di pasta per la pizza
- 1 mozzarella

- basilico
- olio per friggere

*per la salsa*

- 500 g di pomodorini
- 2 spicchi d'aglio
- basilico

- olio extravergine
- sale

Lasciar lievitare la pasta della pizza per un'oretta finché non diventa alta e soffice. Nel frattempo, unire in una casseruola i pomodorini tagliati a metà con l'aglio, il basilico, il sale e un goccio d'olio. Coprire la casseruola e cuocere per 15 minuti. Dividere la pasta lievitata in tante palline e stenderle con le mani in modo da ottenere dei dischi di circa 8 cm di diametro (potete usare anche il mattarello, se risulta più semplice). Friggere le pizzelle in abbondante olio bollente per circa un minuto finché non gonfiano e incominciano a scurire. Scolare su un foglio di carta da cucina e poi guarnire ogni pizzella, che nel frattempo si sarà un po' sgonfiata, con una cucchiaiata di sugo di pomodoro, qualche dadino di mozzarella e un po' di basilico.

## Carpaccio delicato                          4

- 300 g di carpaccio di manzo
- 4 tuorli
- 300 g di stracchino
- 1 mazzo di asparagi
- il succo di 1 limone
- 4 cucchiai d'olio extravergine
- sale e pepe

Mettere nel bicchiere del mixer i tuorli con lo stracchino, l'olio, il succo del limone, il sale e il pepe. Frullare fino a ottenere una bella crema densa e saporita. Lessare gli asparagi in acqua salata, lasciandoli però abbastanza croccanti. Scolarli, tagliare le punte e tenerle da parte (con i gambi potrete fare in seguito un'ottima frittatina). Disporre le fette di carpaccio su un bel piatto da portata, un po' arrotolate come dei boccioli di rosa, salare leggermente. Distribuire gradevolmente le punte degli asparagi tra le fette di carne e con, un cucchiaio, irrorare il tutto con abbondante salsina in modo che questa coli dentro alle roselline e crei dei motivi decorativi. La salsa rimanente si può servire a parte.

**28 marzo**
**Cena a**
**sorpresa**

*Domenica sera, ore sette, Fabio è arrivato a casa con due amici. Gli ospiti sono sempre graditi... Soltanto che adesso, con questa storia di Cotto e mangiato, chiunque venga a cena a casa mia, ha una certa aspettativa: che ansia! Per fortuna avevo nel frigorifero un quintale di meraviglioso emmenthal che mi hanno regalato. Così ho provato una ricetta semplicissima di Elena: la pasta in bianco. Non fatevi ingannare: si tratta di una sontuosa pasta al forno cremosissima, ricca di formaggi e deliziosamente gratinata. A dir la verità, io ho sbagliato clamorosamente le dosi: troppo poco condimento. Che figura... Ma era buona lo stesso. La prossima volta, con il doppio del formaggio e della panna, sarà una bomba, come quella che mi ha fatto assaggiare Elena.*

*Il secondo è andato meglio. Avevo nel freezer una splendida impanatura di mandorle, pinoli, pane tostato ed erbe aromatiche, che di solito uso per i tranci di tonno. Questa volta invece l'ho usata per la classica milanese: super buona! Un'insalatina, che con il fritto sta sempre bene, e per dessert... Be', sul dessert non ero molto preparata, ma avevo nel frigorifero le prime fragole della stagione: una bella macedonia di fragole e banane con limone, zucchero e qualche fogliolina di menta, e alla fine ho evitato la figuraccia. Ma che fatica!*

## Pasta in bianco gratinata (con le dosi giuste!)

4

- 250 g di conchiglioni
- 300 g di emmenthal
- 100 ml di panna
- una manciata di grana

- 1 ciuffo di prezzemolo
- burro
- sale e pepe

Cuocere la pasta in acqua salata e scolarla molto al dente; nel frattempo grattugiare l'emmenthal con la grattugia dai fori grossi (quella per la carota). Condire la pasta con un po' di burro, l'emmenthal, la panna, il grana, il prezzemolo tritato e il pepe. Imburrare una pirofila abbastanza profonda e rovesciarvi la pasta. Mettere in forno ventilato a 200° e fare gratinare fino a che non si sarà formata una bella crosticina. Se necessario, passare alcuni minuti alla funzione grill.

## Cotolette con impanatura speciale
4 👤

- 4-6 fette di vitello
- olio per friggere

*per l'impanatura*
- 1 spicchio d'aglio
- 40 g mandorle
- 40 g di noci
- 40 g di pinoli
- 120 g di pancarré
- 1 rametto di rosmarino
- una manciata di foglie di prezzemolo
- una manciata di foglie di basilico
- olio
- sale e pepe

Mettere in una padella antiaderente l'aglio schiacciato, le mandorle, le noci, i pinoli, il pancarré tagliato a pezzetti, il sale, il pepe, il rosmarino e qualche cucchiaio d'olio. Far saltare il tutto a fuoco vivace in modo che gli ingredienti si tostino. Eliminare il rosmarino, aggiungere prezzemolo e basilico, e trasferire tutto nel mixer. Tritare fino a ottenere una impanatura un po' umida, proprio grazie alla presenza dell'olio. Impanare per bene le fette di vitello e tuffarle nell'olio bollente per pochissimi minuti. Servire ben calde.

30 marzo
Merenda
da urlo *Oggi Matilde ed Eleonora erano intenzionate a fare sciopero: niente lezione di nuoto. C'era il sole e volevano andare al parco giochi. Poverine... Non avevano nemmeno tutti i torti. Io però sono riuscita a convincerle promettendo una merenda da urlo che ho portato loro direttamente negli spogliatoi. Bando alle attese, si sono divorate i miei quadrotti al cocco e banana con i capelli fradici e il costume ancora addosso!*

## Quadrotti di cocco e banane      6 🧍

*per la base*
- 120 g di zucchero
- 80 g di burro
- 1 uovo
- 150 g di farina
- ½ cucchiaino di lievito
- sale

*per la copertura*
- 180 g di cocco disidratato
- 1 bustina di vanillina
- 80 g di zucchero
- 2 uova
- 2 banane
- panna o latte, se necessario

Preparare la base mescolando lo zucchero con il burro sciolto, aggiungere l'uovo, la farina, il lievito e una presa di sale. Lavorare non troppo a lungo per formare una specie di palla di pasta frolla. Stenderla sul fondo di una teglia rettangolare foderata di carta da forno, mettere in forno a 180° e cuocere per 15 minuti. Mentre la base cuoce, mescolare il cocco con la vanillina, lo zucchero e le uova. Se il composto risulta troppo asciutto, aggiungere un po' di panna o latte. Tagliare le banane a rondelle. Togliere la base della torta dal forno e, mentre è ancora calda, distribuirvi le rondelle di banana facendole penetrare un po' nella pasta. Ricoprire il tutto con il composto di cocco e rimettere la teglia in forno altri 25 minuti. Togliere la torta dal forno e, una volta raffreddata, tagliare a quadrotti.

# APRILE

*Il caldo incomincia a farsi sentire e i piatti in tavola sono più leggeri e freschi. Ma c'è ancora un appuntamento impegnativo da affrontare in cucina: il pranzo di Pasqua. Una bella abbuffata e poi tutti a dieta! Ma non troppo...*

Spiedini di gamberi
e seppie

Filetti di merluzzo
in rosso

Salsa di frutti di bosco

Verdure gratinate

Agghiotta di pesce spada

Spaghettini allo scoglio

Filetti di cefalo
(o muggine) in crosta
di patate

Fool di fragole

Frittatine ripiene

Asparagi fritti

Costolette di agnello

Insalatina di gamberoni
e salsa allo yogurt

Conchiglioni cremosi

Gazpacho di tonno

Sarde a beccafico

Cotolette di pollo al latte

Tortiglioni dell'orto
con gamberi

Maionese speciale
senza uova

Tramezzino inglese

Tramezzino al tonno

Pinzimonio
con salsina speciale

Torta alle mele della Pin

Maltagliati pasticciati

Trofie al pesto di verdure

Torta di mele francese

Panna cotta

Ventaglietti di pasta sfoglia

_1 aprile_
_Stile_
_riccionese_

*Vacanze di Pasqua. Finalmente sono a Riccione! Oggi abbiamo scaricato i bagagli, aperto la casa e poi per cena siamo andati a mangiare gli spiedini di pesce. Qui in Romagna li fanno in una maniera davvero speciale. Domani ci provo anch'io!*

## Spiedini di gamberi e seppie

4

- 12 gamberi
- 4 seppie
- 3 fette di pancarré

- una manciata di prezzemolo
- olio extravergine
- sale e pepe

Sgusciare i gamberi, staccare la testa e tenere solo la coda; tagliare le seppie in due nel senso della lunghezza e togliere i tentacoli (in alternativa potete utilizzare anche i calamari). Mettere il prezzemolo nel mixer e tritare, poi aggiungere il pane e tritare ancora in modo da ottenere un'impanatura soffice. Trasferire il trito su un piatto e condirlo con un po' di sale. Preparare i primi 4 spiedini infilzando in ciascuno 3 code di gambero sistemate in modo che abbiano la forma di una C (si fa passare lo spiedo in due punti del gambero). Passare ogni spiedino nell'impanatura premendo in modo che aderisca bene ai gamberi. Sistemare gli spiedini, ben impanati, sulla placca del forno foderata di carta da forno. Per ciascuno degli altri 4 spiedini utilizzare due pezzi di seppia, infilzando ogni pezzo in due punti. Ungerli con un po' d'olio e spolverizzarli con l'impanatura (non importa se non rimarrà perfettamente attaccata come sui gamberi: in fase di cottura formerà comunque una deliziosa crosticina). Una volta sistemato tutto il pesce impanato sulla placca del forno, condire ancora con un po' di sale, irrorare con olio, mettere in forno ventilato a 200° e cuocere per circa 10 minuti (a metà cottura io di solito giro i gamberi, mentre non tocco le seppie).

P.S.

*Se non avete voglia di tritare il pane fresco, potete usare il pangrattato.*

---

*Mi piacciono le serate come quella che ho appena trascorso. Tutta la famiglia, nonni compresi, insieme in vacanza. A pranzo siamo andati a mangiare fuori; a cena, invece, faceva un freddo cane e nessuno aveva voglia di schiodarsi dal mio divano. Così ho preso in mano la situazione e ho provato un piattino squisito che mi aveva cucinato il mio amico Gigio, avvocato e cuoco di prima categoria. Si tratta di filetti di pesce ripassati al forno con un sugo al pomodoro molto ricco, tipo puttanesca. Lui aveva usato dei meravigliosi filetti di branzino, io, in mancanza di materia prima così pregiata, ho usato dei tranci surgelati di merluzzo. Però li ho 'truccati' così bene da farli sembrare il pesce più raffinato del mondo! Che buffo vedere mio padre entusiasta che chiedeva il bis e mia mamma che brontolava fingendosi offesa: «Ma a casa i capperi non li mangi mai... Guarda che c'è anche l'acciuga!». Una bella soddisfazione. Di rinforzo avevo comprato una focaccia coi pomodorini e un salame da accompagnare con ottime fette di pane. Per concludere, un gelato allo yogurt di quelli confezionati: l'ho servito nei bicchieri insieme alla salsa di frutti di bosco di Cristina D., un piccolo trucco che mi salva sempre quando non ho preparato il dolce.*

*2 aprile*
*Esperimenti in famiglia*

## Filetti di merluzzo in rosso 4

- 400 g di filetti di merluzzo
- farina
- olio extravergine

*per il sugo*

- 375 g di polpa di pomodoro
- 1 manciata di capperi
- 1 cucchiaio di olive nere
- 2 filetti di acciuga
- basilico
- sale e pepe

Mettere in una casseruola la polpa di pomodoro con tutti gli ingredienti a crudo: capperi, olive, acciughe, basilico, sale e pepe. Far cuocere dolcemente senza aggiungere olio finché il sugo non si sarà ristretto un po'. Nel frattempo tagliare a pezzi abbastanza piccoli i filetti di merluzzo, infarinarli e rosolarli in padella con un filo d'olio in modo che intorno si formi una crosticina. Aggiustare di sale. Prendere una teglia, versare un po' di sugo di pomodoro sul fondo, sistemare i filetti uno accanto all'altro e ricoprirli in maniera irregolare con il rimanente condimento. Mettere in forno ventilato a 200° e cuocere per una decina di minuti circa, fino a che la crosticina del pesce non si sarà ulteriormente abbrustolita.

## Salsa di frutti di bosco 6

- 2 cestini di lamponi (o 1 busta di frutti di bosco surgelati)
- 2 cucchiai di zucchero
- gelato (ci sta bene quello alla vaniglia, al fior di panna oppure allo yogurt)

Mettere i lamponi in una padella con lo zucchero e 2 cucchiai d'acqua. Far scaldare pochi minuti fino a che la frutta incomincia a disfarsi e il sugo a sobbollire. Servire due palline di gelato in una coppetta o in un bicchiere, affogate in qualche cucchiaiata di salsina calda, lasciando la rimanente in una salsiera a disposizione degli ospiti più golosi.

## P.S.

*Io tengo sempre nel freezer una busta di frutti di bosco che butto in padella ancora surgelati con lo zucchero, ma senza aggiungere acqua.*

*Un'altra serata in famiglia qui in Romagna. La nuova casa di Riccione, per quanto piccola, si presta perfettamente. E poi, fare la spesa qui è una vera soddisfazione: la verdura è freschissima, varia e invitante; i negozianti sono simpatici e disponibili. Insomma tutto mi predispone a cucinare per la gioia della mia famiglia e dei miei ospiti. Questa sera ho fatto una teglia di verdure al forno con tutto quello che mi offriva il banco del fruttivendolo. Il bello è che non ho sbollentato niente in padella, ma ho cotto tutto direttamente in forno. Risultato eccellente, croccante e saporito. Come piatto forte ho cucinato una sontuosa agghiotta di pesce spada, che però non ho ripassato in forno perché era già occupato dalle verdure. Mamma mia, se ci ripenso, anche se è sera tardi, mi viene di nuovo fame...*

*3 aprile*
*Il segreto delle verdure croccanti*

# Verdure gratinate

4 👤

- 1 peperone rosso
- 2 carote
- 1 finocchio (in alternativa o in aggiunta vanno bene anche zucca, zucchine, cimette piccole di cavolfiori)
- 1 melanzana
- 1 scalogno
- erba cipollina
- 2 o 3 cucchiai di pangrattato
- 1 dl d'olio extravergine
- sale e pepe

Tagliare le verdure a tocchetti piccoli, metterle in una ciotola con olio, sale e pepe e mescolare. Aggiungere il pangrattato e amalgamare bene in modo che resti appiccicato alle verdure. Versare le verdure sulla placca del forno foderata di carta da forno, allargarle delicatamente per non perdere la copertura di pangrattato e in modo che non siano sovrapposte (se fossero troppe, dividerle in due teglie). Mettere in forno ventilato a 180-200° e cuocere per circa mezz'ora. Prima di servire, cospargere con erba cipollina tagliata fine.

## Agghiotta di pesce spada 4 ♟

- 400 g di pesce spada a fette spesse
- farina
- ½ costa di sedano
- ½ cipolla
- 1 cucchiaio di capperi
- 2 cucchiai di olive verdi denocciolate
- 1 cucchiaio di uvetta
- 2 cucchiai di pinoli
- 250 g di pomodori succosi e rossi (va bene anche la polpa già pronta)
- basilico
- olio extravergine
- sale e pepe

Come prima cosa tagliare il pesce spada a cubotti abbastanza grandi, infarinarli e friggerli in padella con abbondante olio d'oliva (le fette si possono anche lasciare intere, ma, secondo me, a pezzi sono più agevoli da mangiare e raccolgono meglio il sugo). Quando il pesce è fritto (non fatelo cuocere troppo), salarlo e toglierlo dalla padella. Sciacquare la padella, versarvi altro olio e rosolare il sedano e la cipolla tagliati piccoli piccoli. Aggiungere i capperi, le olive, l'uvetta, i pinoli e, in ultimo, i pomodori tagliati a pezzetti. Salare, bagnare con ½ bicchiere d'acqua e lasciar cuocere a tegame coperto per circa 10 minuti. Quando i pomodori si saranno sfaldati e il sugo sarà leggermente ristretto, unire il pesce spada, cuocere ancora qualche minuto e completare con il basilico fresco spezzettato.

*Abbiamo superato la prova del nove! Oggi ho inaugurato la mia casetta nuova di Riccione con un vero e proprio pranzo pasquale. Purtroppo la giornata non era un gran che e ci siamo dovuti stringere tutti dentro il soggiorno. Dal momento che si tratta di un open space, non ho preparato piatti che necessitavano di una cottura troppo complicata all'ultimo momento. Per Fabio ho dovuto preparare le uova sode, una tradizione irrinunciabile! Poi un po' di affettati, compresa la classica corallina, il salame che si mangia a Roma e che i miei suoceri Laura e Giancarlo non mancano mai di portare. Quest'anno, come primo, in onore del mare ho preparato una super spaghettata allo scoglio che ha conquistato tutti! Come secondo, invece, filetti di cefalo in crosta di patate. Due piatti scenografici che si preparano in pochissimo tempo. Al posto di una semplice macedonia di fragole ho presentato un fool: una coppa di frutta con crema pasticciera e panna, che si prepara molto velocemente il giorno prima e si lascia in frigorifero fino al momento di servirla. Per finire, avevamo addirittura 5 uova di Pasqua! I bambini hanno apprezzato le sorprese e snobbato il cioccolato. Va be', dovrò trovare il modo di riciclarlo... Sì, ma domani!*

*4 aprile*
*Domenica di Pasqua*

## Spaghettini allo scoglio 4 👤

- 350 g di spaghettini
- 500 g di cozze
- 500 g di vongole
- 250-300 g di pomodori rossi e ben maturi
- 3 spicchi d'aglio
- prezzemolo
- olio extravergine
- ½ bicchiere di vino bianco
- peperoncino
- sale

Mettere le vongole in una ciotola con acqua fredda e un cucchiaio di sale, lasciandole immerse una mezz'ora in modo che spurghino. Nel frattempo pulire le cozze togliendo la barbetta e sciacquandole in acqua corrente. Versare un po' d'olio in una padella e farvi rosolare 2 spicchi d'aglio con un po' di peperoncino a piacere, inclinando bene la padella così che l'aglio rimanga ben immerso nell'olio. Mettere nella padella le cozze e le vongole risciacquate, sfumare con ½ bicchiere di vino bianco, coprire e alzare il fuoco. Lasciar cuocere per qualche minuto finché tutte le conchiglie non saranno aperte. Togliere dal fuoco e sgusciare in una ciotola le cozze e le vongole, lasciandone solo poche con il guscio per rendere la vostra pasta più ricca e scenografica. Passare il liquido di cottura attraverso un colino per eliminare eventuali granelli di sabbia o pezzetti di conchiglia e versarlo nella ciotola con le vongole e le cozze. Nella padella far rosolare un altro spicchio d'aglio con un po' d'olio e poi tuffarci i pomodori tagliati a pezzetti. Salare e far cuocere 5-10 minuti fino a che i pomodori non saranno cotti e morbidi. A questo punto, versare nel sugo di pomodoro le cozze e le vongole con la loro acqua di cottura e cuocere a fuoco vivace fino a che il sugo non si sarà ristretto appena un po' (non troppo, però, altrimenti la pasta risulterà asciutta). Lessare gli spaghettini e scolarli molto al dente. Versarli nella padella con il sugo e portarli a cottura. Da ultimo completare con prezzemolo tritato.

*P.S.*

---

*Il segreto del sapore speciale dei vostri spaghettini sta proprio nella cottura. Scolateli ancora abbastanza crudi e lasciateli cuocere in padella con il sugo abbondante. Grazie al fuoco alto il sugo si restringerà, gli spaghettini raggiungeranno la cottura desiderata e avranno un gusto straordinario.*

---

## Filetti di cefalo (o muggine) in crosta di patate

4

- 1 cefalo di circa 400 g (ma va bene anche un altro tipo di pesce)
- 1 scalogno piccolo
- 1 patata di circa 350 g
- olio extravergine
- sale e pepe
- timo o rosmarino

Per questa ricetta si può usare qualsiasi tipo di pesce. Se si scelgono i filetti, sistemarli uno vicino all'altro; il pesce intero, invece, va aperto e diliscato (un lavoro non troppo semplice: io, il mio cefalo, l'ho fatto preparare in pescheria). Foderare una teglia con carta da forno e adagiarci il pesce aperto con la pelle rivolta verso il basso. Ungerlo con un po' d'olio e condirlo con il sale. Sbucciare la patata e grattugiarla con la grattugia dai fori grossi (quella per la carota). Raccogliere la patata grattugiata in una ciotola, mescolarla con lo scalogno tagliato sottilissimo, il timo o il rosmarino e regolare di sale e di pepe. Ricoprire completamente il pesce con questo impasto, mettere in forno ventilato a 200° e far cuocere circa 25 minuti. Per dorare bene la crosta, a fine cottura passare alla funzione grill per pochi minuti.

*P.S.*

*Si può seguire lo stesso procedimento usando le zucchine invece delle patate.*

## Fool di fragole                                    4 fool

- 150 ml di latte
- 1 bustina di vanillina
- 1 tuorlo
- 3 cucchiai di zucchero
- 2 cucchiai di farina

- 1 cestino di fragole
- panna montata o da montare
- zucchero a velo
- cannella (facoltativa)

Mettere il latte in un pentolino con la bustina di vanillina, porre sul fuoco e far scaldare senza che prenda bollore. Nel frattempo in una ciotola sbattere il tuorlo con lo zucchero, unire la farina e amalgamare bene. Togliere il latte dal fuoco e versarlo poco a poco nel composto di uovo e farina mescolando accuratamente. Versare il tutto nel pentolino, rimettere sul fuoco e cuocere continuando a mescolare finché la crema non avrà raggiunto una consistenza molto densa (un minuto dopo il bollore). Spegnere il fuoco e lasciarla raffreddare circa 15 minuti. Tagliare le fragole in 4 e distribuirle in 4 bicchieri di vetro larghi e bassi. Versare la crema ancora calda, ma non bollente, sulle fragole e una volta che il tutto si è raffreddato, mettere i bicchieri in frigorifero e lasciarveli fino al momento di servire (si può preparare anche con un giorno di anticipo). Al momento di servire, ricoprire il tutto con panna montata (potete comprarla già pronta, ma è più buona se la montate voi). Spolverizzare infine con zucchero a velo ed eventualmente con un po' di cannella.

### P.S.

*Per una golosa variante al cioccolato sciogliere nella crema pasticciera circa 40 g di cioccolato fondente spezzettato e al posto delle fragole mettere i lamponi.*

---

*Il tempo, questa Pasqua, non è stato clemente. Altro che picnic!*    5 aprile
*Oggi, Pasquetta, siamo rimasti tappati in casa tutta la mattina*    Picnic
*a guardare la pioggia contro le finestre (i miei poveri vetri appe-*   stragoloso
*na lavati!). Per fortuna per l'ora di pranzo è uscito il sole e così*
*abbiamo steso una tovaglia in terrazzo e abbiamo fatto il nostro*
*picnic. Niente posate, nel menu di Pasquetta si mangia tutto*
*con le mani. Quest'anno però non ho preparato i classici panini,*
*ma un vero pranzo molto speciale. Per cominciare ho fatto delle*
*frittatine leggere e un po' particolari, aromatizzate con senape*
*ed emmenthal, che si farciscono come panini. Le cuoci in forno e*
*crescono come dei piccoli soufflé; dopo un po' si siedono, ma non*
*importa. Aprendole a metà e farcendole di prosciutto e rucola,*
*sono comunque bellissime. E che buone!*
*A seguire il piatto forte: costolette di agnello impanate e aspa-*
*ragi fritti. Asparagi fritti? Sì, avete capito bene, una delle cose*
*più buone che io abbia mai mangiato! Gli asparagi sono ottimi,*
*ma alla fine si mangiano sempre nella stessa maniera: bolliti e*
*poi conditi con burro fuso oppure olio e limone. Ebbene, oggi è*
*avvenuta la svolta: una telespettatrice di Cotto e mangiato mi*
*ha mandato questa ricettina pazzesca. Una bontà incredibile. Li*

*ho abbinati a una montagna di costolette di agnello impanate
e alle classiche pannocchie abbrustolite in padella. Be', non un
picnic leggero, lo ammetto... (anche perché alla fine ci siamo pure
rituffati nei fool avanzati dal giorno prima), ma sicuramente me-
morabile!*

## Frittatine ripiene

4

- 4 uova
- 1 dl di panna fresca
- 130 g di emmenthal
- 1 cucchiaino di senape
- prosciutto crudo
- rucola o spinaci novelli
- olio o burro per i pirottini
- sale

Sbattere le uova con la panna e il sale. Grattugiare l'emmenthal con la grattugia a fori grandi (quella per la carota)
e mescolarlo al resto degli ingredienti. Aggiungere anche
la senape e trasferire il tutto nei pirottini da muffin precedentemente imburrati o unti d'olio. Mettere in forno a 180°
e far cuocere per 30 minuti. Una volta intiepidite, togliere
le frittatine dagli stampini, aprirle come fossero dei panini
e farcirle con prosciutto e rucola o spinaci novelli.

## Asparagi fritti

4

- 1 mazzo di asparagi grossi
- 2 uova
- farina
- pangrattato
- olio extravergine
- sale

Scartare la parte legnosa degli asparagi, lessarli in acqua
bollente e salata per 5 minuti e scolare. Tagliare due asparagi per volta a metà, in modo da ottenere 4 parti di uguale
lunghezza. Affiancarli e passarci in mezzo due stuzzica-

*Costolette di agnello e asparagi fritti (pagg. 158-159)*

*Pollo e asparagi allo zenzero (pag. 180)*

denti per fermarli e creare delle mattonelle. Immergere ogni mattonella nell'uovo e impanarla come una cotolette (prima passarla nella farina, poi nell'uovo e quindi nel pangrattato). Rosolare le mattonelle in padella a fuoco dolce con poco olio extravergine. Una volta rosolate per bene, lasciarle intiepidire e togliere gli stuzzicadenti.

## p.s.

*Questi asparagi fritti si possono presentare, oltre che per contorno, anche come aperitivo: di sicuro effetto, potete servirli anche senza piatti, solo con qualche tovagliolino.*

## Costolette di agnello                         4 🧍

• 6 costolette di agnello          • pangrattato
• 1 uovo                           • olio per friggere

Sistemare in un piatto fondo il pangrattato e in un altro l'uovo, sbattendolo con una forchetta. Prendere ogni costoletta dalla parte dell'osso e immergerla prima nell'uovo poi nel pangrattato in modo da formare una panatura compatta. In un pentolino profondo fare scaldare abbondante olio e poi immergervi per pochi minuti le costolette. Una volta tolte dall'olio, asciugarle brevemente sulla carta da cucina, salare e servire subito.

*Ho voglia di insalate. Finalmente si intravede il sole dietro la* 9 aprile
*coltre grigia del cielo milanese... Fa anche un po' più caldo e, a* Piattino
*differenza di quello del guardaroba, il cambio del menu è più fa-* light
*cile e sicuramente meno impegnativo. Qualche sera fa sono stata*
*a cena in una deliziosa enoteca di Bergamo e ho assaggiato un*

*sacco di piattini sfiziosi. Devo dire che sto diventando il tormento di tutti i camerieri. Ogni volta che compariva in tavola una nuova portata, sottoponevo il povero malcapitato a uno spietato terzo grado per individuare tutti gli ingredienti e i metodi di preparazione. Be', mi sarò fatta mandare a quel paese, ma intanto ho imparato a preparare una super insalatina in salsa di yogurt e cetrioli che ho subito riproposto a casa. Impossibile pretendere che le bambine la assaggiassero! Si sono limitate a saccheggiare tutti i gamberoni dal piatto di portata. Allora, per tenerle buone, mi sono inventata una pasta freschissima e veloce che hanno molto apprezzato. È del tipo che preferisco: sugo a crudo e tutto nel frullatore.*

## Insalatina di gamberoni e salsa allo yogurt

4

- 12 gamberoni
- 1 busta di soncino

- 1 manciata di germogli di soia
- 12 pomodori ciliegini

*per la salsa*
- 6 cucchiai di yogurt bianco
- 1 cetriolo

- 2 cucchiai d'olio extravergine
- sale

Lessare per brevissimo tempo (solo qualche minuto) i gamberoni e sgusciarli. Versare nel mixer lo yogurt, aggiungere il cetriolo tagliato a tocchetti, sale e olio e frullare riducendo a una crema. Mettere in una ciotola il soncino, i germogli di soia, i pomodorini tagliati a metà e i gamberoni, condire con un po' di sale e con abbondante salsina.

# Conchiglioni cremosi                                    4 👤

- 350 g di conchiglioni
- 200 g di stracchino
- 10-15 pomodori ciliegini
- 1 cucchiaio e ½ d'olio
  extravergine
- 1 spicchio d'aglio facoltativo
- pecorino
- qualche foglia di basilico
- sale e pepe

Mettere a cuocere la pasta in una pentola con abbondante acqua salata. Nel frattempo, mettere nel bicchiere del mixer lo stracchino, i pomodorini e l'olio, e tritare grossolanamente in modo che restino visibili i pezzi di pomodoro. Scolare la pasta e condirla con il condimento a freddo che si trasformerà subito in una deliziosa crema. Completare con una macinata di pepe, abbondante pecorino grattugiato e qualche foglia spezzettata di basilico.

*Il pesce crudo, specie il tonno, va così di moda, che è diventato* **13 aprile** *quasi banale. Per fortuna Ivan Rota, un mio collega che si occupa* **Un tonno** *di gossip, mi ha passato la ricetta per questa salsina veramente* **originale** *particolare e raffinata. L'ho completata con una guarnizione di spicchi d'arancia e foglioline di basilico. Talmente scenografica che ho deciso di fare una sorpresa alla mia amica Siria Magri che in questo periodo sta lavorando come una pazza. Ho messo in una cesta tutti i piattini cucinati nel pomeriggio per Cotto e mangiato, tra cui il famoso tonno, poi li ho portati in redazione e li ho consegnati a suo marito Giovanni Toti, il direttore del nostro tg Studio Aperto. Speriamo si ricordi di portarli a casa quando finisce di lavorare! Per noi a cena: pasta al pomodoro...*

## Gazpacho di tonno

4

• 300 g di carpaccio di tonno

*per la salsa*

• 300 g di carpaccio di tonno
• il succo di ½ arancia
• 200 g di pomodorini
• 1 cucchiaio di salsa Worcester

• 1 cucchiaio
 d'olio extravergine
• qualche goccia di tabasco
• sale e pepe

*per guarnire*

• fettine di arancia

• foglie di basilico

Mettere tutti gli ingredienti della salsa nel mixer e frullare fino a ottenere una crema omogenea. Versare la salsina in un piatto da portata e accomodarci sopra, leggermente arrotolate, come fossero delle roselline, le fette di tonno. Distribuire altra salsa sul carpaccio e completare con foglie di basilico e fettine di arancia tutt'intorno al piatto.

*15 aprile*
*Irresistibile*
*tentazione*
*Oggi al supermercato non ho resistito alla tentazione. C'erano delle meravigliose sarde già pulite che gridavano: «Compraci e cucinaci a beccafico!». Detto fatto: che bontà!*

## Sarde a beccafico

2

• 5 o 6 sarde già pulite e diliscate

*per la farcia*

• 3 cucchiai di pangrattato
• 3 cucchiaini di grana
• 1 cucchiaio di uvetta
• 1 cucchiaio di pinoli
• 1 cucchiaio di pasta d'acciughe

• olio extravergine
• alloro
• 2 cucchiai di prezzemolo tritato
• sale

Versare in una padella un filo d'olio e unirvi il pangrattato, l'uvetta, i pinoli, il prezzemolo, la pasta d'acciughe stemperata in una tazzina con un po' d'acqua e una presa di sale. Far tostare tutti gli ingredienti a fuoco vivace fino a che non si saranno un po' scuriti. Togliere dal fuoco e aggiungere il grana. Ungere d'olio una piccola teglia. Distribuire uno strato di farcia sulle sarde, aperte a libro, poi richiuderle arrotolandole su se stesse. Allineare nella teglia tutte le sarde arrotolate e tra una sarda e l'altra infilare le foglie di alloro. Cospargere abbondantemente con la farcia avanzata, irrorare con altro olio, mettere in forno a 180° e lasciare cuocere per non più di 15 minuti. Servire tiepide.

*Il giusto compromesso tra la cotoletta buonissima, ma strafritta, e il pollo cotto senza grassi, ma anche senza gusto. Sembra l'inizio di una pubblicità, invece è l'inizio di un amore: il mio per questa nuova ricettina semplicissima, ma davvero da ricordare. L'ho provata stasera e non la abbandonerò più! Avevo a cena anche 'i ragazzi', che sono gli amici alessandrini di Fabio; per loro è stata una serata fortunata, dal momento che dovevo provare anche un'ottima pasta con verdure fresche e gamberoni. Esperimento più che riuscito!*

16 aprile
Un nuovo amore

## Cotolette di pollo al latte       4 👤

- 4 fette di petto di pollo
- latte
- 5 cucchiai di pangrattato
- 1 cucchiaio colmo di grana
- rosmarino
- olio
- sale

Tagliare il petto di pollo a striscioline larghe e lasciarlo marinare per circa 30 minuti completamente ricoperto dal latte. Mescolare il pangrattato con il grana, il sale e il rosmarino sminuzzato al coltello; togliere il pollo dalla marinata e, ben bagnato di latte, passarlo nell'impanatura schiacciando bene con le mani perché resti appiccicata. Adagiare le striscioline, ben distanziate tra loro, sul fondo di una placca da forno ricoperto di carta da forno e irrorare con un filo d'olio. Mettere in forno ventilato a 200° e lasciare cuocere per 10 minuti. Se necessario, girare le striscioline a metà cottura.

## Tortiglioni dell'orto con gamberi    4 🧍

• 250 g di asparagi
• 300 g di piselli da sgusciare
• 300 g di gamberi surgelati
  già sgusciati
• 1 cipollotto grosso

• 300 g di tortiglioni
• olio extravergine
• erba cipollina
• sale e pepe

Tagliare le punte agli asparagi, lasciando comunque un po' di gambo, e sgranare i pisellini freschi. Mettere le due verdure in una pentola con acqua salata, portare a bollore e lasciare cuocere per 5 minuti. Affettare sottilmente il cipollotto e farlo rosolare con l'olio in una padella. Scolare le verdure e farle saltare insieme al cipollotto. Unire anche i gamberi ancora surgelati, portarli a cottura e aggiustare di sale (se necessario, aggiungere un po' d'acqua di cottura delle verdure). Lessare la pasta, scolarla, versarla nella padella con il condimento e fare saltare tutto insieme per un minuto. Prima di versare nel piatto da portata, aggiungere erba cipollina tritata e una macinata di pepe.

Compleanno di Fabio: quest'anno merenda all'inglese! Fabio aveva mal di schiena, così mi ha pregata di non organizzare nulla. Voleva godersi la partita spaparanzato sul divano. Allora mi sono ricordata della ricetta speciale di Luigi Spagnol (grande appassionato di cucina, nonché editore dei miei libri) per fare la maionese senza uova. Una formula che ha del portentoso. Facilissima, praticamente impossibile da sbagliare e con un gusto delicato, perfetto per farcire i tramezzini. Così mi sono sbizzarrita: pane bianco morbidissimo senza crosta, gamberetti tenerissimi, fettine di cetrioli con quella punta di acidulo, lattuga croccante, sapore affumicato del salmone... Va be', devo andare avanti? Per completare con delle verdure crude ho preparato anche un pinzimonio, ma ho sostituito la classica vinaigrette di olio, aceto e sale con questa mia maionese speciale, arricchita con aglio e acciuga. Per me e Fabio birra a pinte, per le bambine limonata e tè freddo. Naturalmente ho preparato anche una torta, niente di elaborato con panna o creme che a Fabio non piacciono: ho fatto la torta di mele della Pin. Da servire fredda da frigo, piena zeppa di mele morbide e con pochissima farina, deliziosa a fine pasto... Insomma, un compleanno in famiglia. Semplice e dolcissimo.

18 aprile<br>Merenda<br>all'inglese

## Maionese speciale senza uova

- 100 ml di latte di soia
- 200 ml d'olio di semi
- 1 cucchiaino di senape
- 1 limone
- sale

Versare il latte di soia nel vaso del minipimer, aggiungere la senape e l'olio, poi frullare con il frullatore a immersione: immediatamente si formerà una salsa della consistenza della maionese. Completare con succo di limone e sale.

## Tramezzino inglese

- pancarré
- maionese speciale

- gamberetti precotti
- cetriolo

Spalmare su una fetta di pancarré un generoso strato di maionese speciale, distribuirvi i gamberetti e completare con fettine sottili di cetriolo senza buccia. Completare il tramezzino con un'altra fetta di pancarré e tagliarlo a metà, in modo da ottenere i due classici triangoli.

*P.S.*

*Chi non ama il cetriolo, può sostituirlo con una foglia di lattuga.*

## Tramezzino al tonno

- pancarré
- maionese speciale
- tonno sott'olio sgocciolato

- pomodoro
- sale

Spalmare su una fetta di pancarré un generoso strato di maionese speciale, coprire con abbondante tonno spezzettato con la forchetta e concludere con sottili fettine di pomodoro. Salare e completare con un'altra fetta di pancarré. Tagliare il tramezzino in due triangoli e servire.

*P.S.*

*Adesso sbizzarritevi voi!*

# Pinzimonio con salsina speciale

*per il pinzimonio*
• carote, zucchine, peperoni,
  sedano, ravanelli, pomodorini

*per il pinzimonio*
• 1 acciuga
• ½ spicchio d'aglio

• 1 ciotola di maionese speciale
  (vedi ricetta a pag. 165)

Pulire e tagliare le verdure poi sistemarle in una ciotola, pronte da portare a tavola. Come accompagnamento al pinzimonio, frullare l'acciuga e l'aglio insieme alla maionese speciale. Servire la salsa accanto alle verdure.

# Torta alle mele della Pin

• 100 g di burro
• 100 g di zucchero
• 100 g di farina
• 3 uova

• 3 mele golden
• 1 limone non trattato
• 1 bustina di lievito

Sciogliere il burro (io lo metto nel microonde) e mescolarlo con lo zucchero. Aggiungere la farina miscelata con il lievito e le uova intere. Mescolare bene fino a ottenere una crema omogenea. Sbucciare le mele e tagliarle con la mandolina (nella grattugia a 4 lati, è quello che ha solo 2 lame e serve per affettare le verdure) oppure con un coltello, in modo da ottenere delle fettine molto sottili. Unire le mele mescolandole all'impasto insieme a un po' di scorza di limone grattugiata. Versare il composto in una teglia foderata di carta da forno, infornare a 180° e cuocere per 25-30 minuti. Togliere dal forno, far raffreddare e mettere nel frigorifero. Da servire fredda, tagliata a quadrotti.

**21 aprile**
**Meglio delle**
**lasagne**

*Una parola sola, anzi due, no tre: cambio degli armadi! Sono veramente distrutta. Eppure con le ultime forze rimaste questa sera a cena ho preparato un piattino degno di un ristorante. Non ci ho messo più di dieci minuti, perché ho utilizzato le sfoglie fresche per le lasagne, le ho tagliate trasformandole in maltagliati, le ho cotte nel sugo senza nemmeno farle bollire e poi le ho gratinate in forno con la mozzarella. Da urlo, altro che lasagne classiche! Queste sono molto più leggere e molto più veloci e poi fanno una figura pazzesca. L'unico errore che ho commesso: ne ho fatte davvero troppo poche. Ce le siamo litigate fino all'ultimo pomodorino, e poi avanti con la scarpetta. Poco elegante lo so, ma di grande soddisfazione!*

## Maltagliati pasticciati

- 6 sfoglie per lasagna già pronte
- 2 spicchi d'aglio
- 500 g di pomodori ciliegini
- 1 mozzarella
- ½ bicchiere di brodo di carne
- grana
- olio extravergine
- sale

Mettere a rosolare l'aglio nell'olio in un tegame da poter mettere anche in forno, tenendolo inclinato perché l'aglio resti ben immerso. Quando l'aglio si è ammorbidito raddrizzare il tegame, aggiungere i pomodorini tagliati a metà, salare e farli rosolare per pochi minuti. Nel frattempo, sovrapporre le sfoglie da lasagne, tagliarle in 4 quadrati e poi in triangoli ricavando dei maltagliati. Separare i maltagliati con le mani, metterli nel tegame coi pomodorini che stanno cuocendo e aggiungere ½ bicchiere di brodo (va bene anche preparato con acqua calda e brodo granulare). Mescolare per pochissimi minuti e con la forchetta fare in modo che i maltagliati non si attacchino tra loro. Togliere dal fuoco, ricoprire con dadini di mozzarella e grana grattugiato e mettere in forno a gratinare con funzione grill finché non si formerà una bella crosticina. Se necessario, prima di infornare aggiungere ancora un po' di brodo (1 o 2 cucchiai).

*Questa sera ho sperimentato un pesto di verdure davvero estivo, tritato tutto a crudo. Per fortuna alla fine è venuto verde e le bambine lo hanno mangiato con grande entusiasmo, senza sapere che in verità stavano ingurgitando peperoni, zucchine, carote e persino cipollotti! Una ricetta da ricordare anche per una cena con amici.*

*26 aprile*
*Pesto leggerissimo*

## Trofie al pesto di verdure

4

• 250 g di trofie fresche

*per il pesto*

• 1 carota
• 1 zucchina piccola
• 1 cipollotto
• 1 peperoncino verde
• 1 cucchiaio di pinoli

• 1 cucchiaio di noci
• una manciata di prezzemolo
• una manciata di basilico
• olio extravergine
• 2 cucchiai di grana

Mettere tutti gli ingredienti del pesto nel mixer e tritare finemente. Nel frattempo, lessare le trofie avendo l'avvertenza, prima di scolarle, di tenere da parte un po' d'acqua di cottura da usare per diluire il pesto e renderlo più cremoso. Versare le trofie in una ciotola, condirle con il pesto e completare con un ciuffetto di basilico fresco.

*Ho letto su un giornale una ricetta di una torta di mele che solo a guardare la foto... Si tratta di una specialità francese. E pensare che io conoscevo solo la Tarte Tatin. Che ignorante! Oggi vado subito a comprare gli ingredienti, non posso resistere un giorno di più.*

## Torta di mele francese 6 🧑

- 1 sfoglia di pasta brisée pronta
- 5 mele
- 40 g di zucchero + qualche cucchiaio
- 50 g di burro
- 1 bustina di vanillina
- gelato alla vaniglia

Foderare una tortiera con la pasta brisée, bucherellare il fondo e ricoprirlo con un foglio di alluminio e fagioli secchi per non far bruciare la pasta. Mettere in forno a 200° e cuocere per 15 minuti. Nel frattempo sbucciare tre mele, tagliarle a tocchetti e farle cuocere in una padella a fuoco moderato con 20 g di burro, 40 g di zucchero, la vanillina e qualche cucchiaio d'acqua. Quando le mele sono morbide frullarle con il frullatore a immersione fino a ridurle in una purea. Togliere la torta dal forno e versarvi la purea di mela. Sbucciare e tagliare altre due mele a spicchi e poi a fettine sottili. Sistemare le fettine a raggiera sulla torta, già farcita di purea, fino a ricoprirla completamente. Infine distribuirvi sopra il rimanente burro e qualche cucchiaio di zucchero. Mettere in forno a 180° e cuocere per altri 30 minuti. Servire tiepida con una pallina di gelato alla vaniglia.

*P.S.*

---

*La torta merita. L'ho fatta dopo cena e poi ho aspettato che si intiepidisse per mangiarne una fetta prima di dormire.*

*Dormire... Magari! Il piccolo Diego sembra aver scambiato il giorno con la notte. Meno male che in cucina c'è sempre la mia torta che mi tira un po' su!*

A volte a casa mia sembra di essere in una pasticceria. Dopo la 'tarte aux pommes' di ieri, oggi ho cucinato la classica panna cotta. Non mi ricordavo che fosse così buona e così facile da preparare: ci vogliono davvero 5 minuti. Io poi ho servito delle monoporzioni nelle tazze da tè, così non ho avuto nemmeno il problema di doverla girare. Ma la vera rivelazione sono stati i ventaglietti di sfoglia, che io adoro e non manco mai di comprare quando entro in una pasticceria. Ebbene, con una pasta sfoglia già pronta e un po' di zucchero sono riuscita a fare dei piccoli velocissimi capolavori che poi ho sistemato sul piattino della tazza da tè che conteneva la panna cotta. Un dessert davvero troppo raffinato per quelle due mangione di Matilde ed Eleonora... L'ho offerto alle mie amiche!

*30 aprile*
*Pasticceria a domicilio*

## Panna cotta

6

- 600 ml di panna fresca
- 120 g di zucchero
- 1 busta di vanillina
- 2 fogli di colla di pesce

Fare ammollare i fogli di colla di pesce nell'acqua fredda. Nel frattempo, versare la panna in una casseruola, aggiungere lo zucchero e la vanillina, mescolare e far riscaldare il composto sul fuoco senza che raggiunga il bollore. Togliere dal fuoco. Strizzare i fogli di gelatina e unirli alla panna calda. Mescolare bene in modo che si sciolgano completamente. Trasferire il composto in un unico stampo, da girare una volta che si sia solidificato, oppure distribuirlo in bicchierini, tazze o tazzine da servire singolarmente senza bisogno di girarli. In ogni caso, dopo che il composto si è raffreddato, lasciar riposare la panna cotta in frigorifero per qualche ora, finché non è solidificata.

## Ventaglietti di pasta sfoglia

4

- 1 rotolo di pasta sfoglia già pronta
- 1 tuorlo
- qualche cucchiaio di latte
- zucchero

Tagliare la pasta sfoglia a strisce larghe 2 cm e lunghe circa 5 cm. Sulla placca del forno foderata di carta da forno creare tanti ventaglietti di tre o quattro striscette ciascuno, sistemate proprio come quando si tengono in mano le carte da gioco. Sbattere il tuorlo con un po' di latte e spennellare abbondantemente i ventaglietti. Spolverizzarli con lo zucchero, metterli in forno a 180° e cuocerli per 10 minuti circa. Devono diventare leggermente bruciacchiati perché lo zucchero sulla superficie si caramella un po' durante la cottura.

# MAGGIO

Giornate più lunghe, serate più calde... Un vero e proprio assaggio dell'estate. Tutti si sentono più allegri e positivi. È il momento giusto per organizzare qualche cenetta con gli amici. Il segreto per non incappare in brutte sorprese è semplice: programmare piatti che si cucinano in anticipo e poi godersi la serata!

Polpette di verdure

Torta sofficissima
ai frutti di bosco

Spaghettini con pomodorini
e bianchetti

Roast beef al limone
e zenzero

Frollini speciali

Spaghetti piccanti
al cipollotto

Pollo e asparagi
allo zenzero

Fusilli con fave
e piselli alla carbonara

Gelato di fragole e panna

Vellutata di zucchine

Spiedini di pollo speziati
con salsa al miele

Torta di mele
di Allan Bay

Torta al radicchio
e taleggio

Orecchiette con pesto
di rucola e pomodorini

Mazzancolle croccanti
con spaghettini di riso

Frittata di pasta
di riciclo

*Verdure sì, ma con allegria. Questa sera Eleonora e Matilde hanno invitato due amichette a dormire. Una vera festa! Le bambine erano elettrizzate. Per limitare i danni ho pensato a una cena da mangiare rigorosamente con le mani. Bastoncini di pesce, quelli classici surgelati, e le mie super polpette di verdura, buone buone buone (non solo per i bambini!). Infatti, quando le mamme sono arrivate a casa per lasciare le piccole invitate, ci siamo aperte una bottiglia di vino e ce le siamo mangiate come aperitivo. Super!*

## Polpette di verdure 4

- 400 g di patate
- 300 g di spinaci surgelati
- 100 g di piselli surgelati
- 1 carota
- 1 cipolla
- 2 uova
- 100 g di grana
- qualche cucchiaio di latte
- farina
- 2 cucchiai di paprica
- olio per friggere
- sale

Lessare le patate, sbucciarle e ridurle in purea schiacciandole nello schiacciapatate oppure con i rebbi di una forchetta. Lessare gli spinaci, poi strizzarli bene e tritarli nel mixer (mi raccomando di togliere l'acqua in eccesso altrimenti le polpette saranno troppo molli). Lessare anche i piselli e poi, nella stessa acqua, la carota tagliata a dadini piccoli. Quando le verdure saranno pronte tagliare una cipolla a fette sottili, farla soffriggere con un po' d'olio in una padella. Unire tutte le verdure facendole insaporire bene e aggiustando di sale. Togliere dal fuoco e incorporare la purea di patate, le uova e il grana. Amalgamare fino a ottenere l'impasto con cui formare le polpette (se l'impasto è troppo denso, aggiungere del latte; se è troppo liquido, del grana). Prendendo un po' di impasto per volta fare tante palline, le nostre polpettine, poi infarinarle e friggerle in abbondante olio di semi. Scolarle e servirle spolverizzate di paprica.

*Domenica piovosa e noiosa... A movimentarla ci ho pensato io con una torta veramente buona. È la prima volta che mi riesce un pan di Spagna così soffice, morbido e profumato. Farcito con i frutti di bosco, ha acquistato poi una nota leggermente aspra che lo ha reso tutt'altro che banale. L'unica accortezza è usare una teglia abbastanza profonda perché l'impasto è tanto e cresce parecchio. E non c'è niente di peggio che vederlo debordare e poi carbonizzare sul fondo del forno (a me quest'inverno è successo!). Non vedo l'ora che sia domani mattina per pucciarlo nel latte!*

*2 maggio*
*Un signor pan di Spagna*

## Torta sofficissima ai frutti di bosco    6 👤

- 4 uova
- farina (uguale peso delle uova, ma a volte ne metto 50 g in più per rendere la pasta più consistente)
- burro (uguale peso delle uova)
- zucchero (uguale peso delle uova)
- 1 bustina di lievito
- 1 cestino di lamponi
- 1 cestino di mirtilli

Pesare le uova prima di romperle e usare il loro peso per dosare lo zucchero, la farina e il burro. Sbattere le uova prima con lo zucchero, poi aggiungere il burro sciolto e infine, poco per volta, la farina miscelata con la bustina di lievito (io uso le fruste elettriche perché in questo modo l'impasto risulta ancora più soffice, ma va bene anche un po' di 'olio di gomito'!). Versare e stendere l'impasto sul fondo di una teglia abbastanza grande (va bene anche rettangolare) e profonda (crescerà molto), foderata di carta da forno. Distribuire sulla superficie i frutti di bosco, leggermente infarinati, che durante la cottura scenderanno all'interno dell'impasto. Mettere in forno a 180° e cuocere per 30 minuti. Servire la torta spolverizzata di zucchero a velo.

<u>4 maggio</u> *Oggi al mercato non ho resistito alla tentazione di comprare due*
*Tentazione belle cucchiaiate di bianchetti, quei pesciolini neonati che sono*
*ligure piccoli come l'unghia di un bimbo. Non riesco quasi mai a trovarli, così ho voluto sfruttare l'occasione. Mi ricordano molto le mie vacanze da bambina a Ospedaletti, in Liguria. Il problema è stato che, una volta a casa, non sapevo assolutamente come cucinarli! Così, dopo un infruttuoso giro su Internet, ho chiamato mia mamma (chissà perché si finisce sempre lì...) che mi ha dato il numero della sua amica Piera che, in quattro e quattr'otto, mi ha trovato la soluzione. Che buoni!*

## Spaghettini con pomodorini e bianchetti

4

- 300 g di spaghettini
- 350 g di bianchetti
- ½ kg di pomodorini
- 3 cipollotti
- olio extravergine
- prezzemolo tritato
- pepe

Tagliare ad anelli i cipollotti, rosolarli in padella con abbondante olio, poi aggiungere i pomodorini tagliati a metà con un po' di sale e cuocere per pochi minuti a tegame coperto. Il sugo è pronto. Dopo aver sciacquato sotto l'acqua corrente i bianchetti, farli cuocere in acqua bollente per un paio di minuti e toglierli dalla pentola utilizzando la schiumarola. Allargarli su un piatto perché non si rompano. Nel frattempo lessare gli spaghetti, scolarli, saltarli nella padella con il sugo dei pomodorini. A fuoco spento cospargere con i bianchetti e abbondante prezzemolo, aggiungere un po' d'olio e una macinata di pepe e portare in tavola senza mescolare.

*Altro che i negozi di gastronomia. Oggi ho fatto un roast beef così perfetto che sembrava finto! Devo dire che mi sono impegnata parecchio, dal momento che ho comprato un pezzo di controfiletto che mi è costato 30 euro e non volevo certo sprecare quella meraviglia. La ricetta me l'ha regalata Rossana, con cui ho lavorato a uno speciale sulla cucina. Il bello di questa ricetta è che il fondo di cottura deve essere arricchito da scorzette di limone e zenzero, dunque la carne assume un aroma fresco e originale che va bene nella bella stagione. Lo abbiamo mangiato per 3 giorni ed era sempre più buono.*

*6 maggio*
*Roast beef estivo*

## Roast beef al limone e zenzero                4 🧑

- 1 kg e ½ di controfiletto
- 4 carote
- 3 cipollotti
- 1 cuore di sedano
- farina
- burro
- 2 limoni
- 1 radice di zenzero
- sale e pepe
- insalata per guarnire

Tagliare le verdure a tocchetti grossi, altrimenti bruceranno, e distribuirle sul fondo di una teglia da forno in modo da ottenere uno strato spesso e uniforme. Grattugiare sopra le verdure la scorza di un limone e la radice di zenzero.

Prendere il pezzo di controfiletto, infarinarlo leggermente e ricoprirlo di sale e pepe, come se dovessimo impanarlo. Adagiare la carne sul letto di verdure in modo che non tocchi la teglia, ma sia a contatto solo con le verdure (in questo modo il nostro roast beef non rischierà di bruciare). Distribuire il burro a piccoli pezzi su tutta la superficie della carne, in modo da favorire la rosolatura. Completare irrorando con un po' d'olio, mettere in forno ventilato a 200° e lasciare cuocere per 40 minuti. A metà cottura, quando la parte superiore è abbrustolita, girare la carne. Una volta che il roast beef è cotto lasciarlo riposare per una buona mezz'ora coprendolo con un piatto sul quale metterete un peso. Tagliare quindi la carne a fette sottili e recuperare il fondo di cottura filtrandolo attraverso un colino (le verdure si buttano). Servire la carne con il sughetto aromatizzato guarnendo con insalata e fettine di limone.

*9 maggio* *Festa della mamma! Le bambine hanno voluto festeggiarmi a modo*
*Biscottini* *loro, cioè cucinando per me. Abbiamo scelto dei biscottini deliziosi*
*per la* *che hanno un impasto delicatissimo che si prepara con i tuorli di*
*mamma* *uovo sodo. Sono perfetti da servire con il caffè a fine pasto, ma Matilde ed Eleonora sono capaci di mangiarseli tutti prima che io sia riuscita a caricare la macchinetta. Questa volta però, dal momento che la festeggiata ero io, hanno avuto un occhio di riguardo.*

## Frollini speciali                              4-6 👤

- 3 tuorli di uovo sodo
- 100 g di zucchero
- 100 g di farina 00
- 100 g di fecola di patate
- 1 bustina di vanillina
- 100 g di burro
- un pizzico di sale
- zucchero a velo

Schiacciare i tuorli sodi con lo zucchero, aggiungere le farine miscelate con la vanillina, il burro sciolto e il sale. Impastare il tutto fino a ottenere un panetto di pasta con la quale formare delle palline grandi come biglie (circa 2 cm di diametro). Sistemarle sulla placca del forno foderata di carta da forno e con l'estremità del manico di un cucchiaio di legno fare un piccolo buco all'interno di ciascuna senza però forare fino in fondo. Mettere in forno a 180° e cuocere per 15 minuti facendo attenzione che non diventino troppo scure. Prima di servire spolverare di zucchero a velo.

*Evviva la cucina povera, soprattutto quando a sponsorizzarla è un grandissimo cuoco! Ogni tanto Fabio e io ci concediamo qualche cenetta romantica... L'altra sera, in un super ristorante di Milano, ho assaggiato questi spaghetti davvero eccezionali, di cui ho subito chiesto la ricetta. Eccola, riportata con grande umiltà!*

*11 maggio*
*Spaghetti poveri ma eccezionali*

## Spaghetti piccanti al cipollotto 4 👤

- 300 g di spaghetti
- 1 spicchio d'aglio
- 300 g di cipollotti
- alloro
- ½ cucchiaino di peperoncino
- 100 g di pomodori ciliegini
- 1 mestolo di brodo vegetale
- grana grattugiato
- prezzemolo
- olio extravergine
- sale

In una padella far rosolare nell'olio l'aglio e i cipollotti tagliati fini (l'aglio lo potete tritare o schiacciare e poi togliere) e profumare con l'alloro. Sfumare con il brodo vegetale e lasciare cuocere dolcemente fino a che il tutto non si sarà trasformato in una purea. Togliere dal fuoco, aggiustare di sale e aggiungere il peperoncino. Lessare la pasta e, nel frattempo, tagliare i pomodorini a dadini piccoli. Scolare gli spaghetti e saltarli nel sugo, aggiungendo i pomodorini e abbondante grana. Completare con una spolverizzata di prezzemolo tritato e olio a crudo.

13 maggio<br>All'ultimo<br>momento

*Ospiti dell'ultimo momento: i miei preferiti! Sì, perché quando so di avere gente a cena, incomincio a lavorare fin dalla mattina e arrivo alla sera sempre stanca. Così, invece, ho l'alibi della sorpresa, che mi scarica delle responsabilità, e devo ricorrere alla fantasia e alle risorse infinite dei miei due freezer. Per fortuna avevo delle olive ascolane e delle mozzarelline surgelate da friggere. Poi avevo ancora un piattino di asparagi già bolliti e qualche fettina di pollo... l'importante è non chiamarli avanzi!*

## Pollo e asparagi allo zenzero 4

- 400 g di petto di pollo
- 200 g di riso thaibonnet o basmati
- 1 mazzetto di asparagi
- ½ limone
- 2 spicchi d'aglio

- 1 radice di zenzero grattugiata o 1 cucchiaio di zenzero in polvere
- 1 scalogno
- olio extravergine
- sale

Tagliare il pollo a striscioline e farlo marinare con olio, limone, zenzero e aglio schiacciato. Lessare gli asparagi, poi tagliare a tocchetti la parte tenera dei gambi e conservare le punte. In una padella ampia o nel wok rosolare lo scalogno affettato sottilmente, unire i gambi degli asparagi e far insaporire il tutto. Aggiungere il pollo marinato e, quando è cotto, anche le punte degli asparagi. Aggiustare di sale. A questo punto, lessare il riso (è preferibile che sia thaibonnet o basmati, ma va bene qualunque tipo di riso abbiate in casa), scolarlo, aggiungerlo al pollo e mescolare delicatamente il tutto perché si insaporisca.

*Oggi mi sono armata di santa pazienza e ho sgranato mezzo* 14 maggio
*chilo di piselli e mezzo chilo di fave... Ho dovuto togliere anche la* fatiche
*pellicina alle fave che erano un po' grosse. Mi sembrava di essere* ripagate
*mia nonna, ma alla fine il mio lavoro è stato apprezzato da tutti.*
*Ho fatto un sughino delizioso e poi ci ho fatto saltare i fusilli*
*completando il tutto con l'uovo, alla carbonara.*

## Fusilli con fave<br>e piselli alla carbonara
4

- 350 g di fusilli
- ½ kg di piselli
- ½ kg di fave
- 2 cipollotti
- 1 uovo

- 1 misurino scarso di brodo granulare di carne
- 100 g circa di grana o pecorino
- olio extravergine
- sale e pepe

Sgranare i piselli e le fave (alle fave, specialmente se sono un po' grosse, io tolgo anche la pellicola per renderle più tenere e verdi) e tagliare ad anelli i cipollotti. Versare un po' d'olio in una padella e farvi rosolare i cipollotti. Aggiungere le fave, i piselli e il brodo granulare, insaporire con un po' di sale e bagnare con mezzo bicchiere d'acqua. Far cuocere a tegame coperto per una decina di minuti. Nel frattempo rompere un uovo in una ciotola e mescolarlo con il formaggio grattugiato. Lessare i fusilli, scolarli e saltarli nella padella con fave e piselli. Spegnere il fuoco e incorporare il composto di uovo e formaggio. Mescolare delicatamente e completare con altro formaggio, una macinata di pepe ed eventualmente un filo d'olio a crudo. Servire subito.

15 maggio
Dessert di
mezzanotte *Gelato alla fragola strepitoso. Devo solo aggiungere un po' di limone, altrimenti ha un gusto troppo piatto e pannoso. L'ho nascosto dalle grinfie delle bambine, che oggi sono andate a una festa di compleanno e si sono rimpinzate di ogni schifezza. Ci mancava pure il gelato super pannoso! Così Fabio e io abbiamo aspettato che andassero a dormire e poi, come Gatto Silvestro, siamo andati in cucina in punta di piedi e ci siamo concessi un dessert in santa pace.*
*P.S. Persino Diego dormiva!*

## Gelato di fragole e panna 6 🧍

- 1 kg di fragole
- 200 g di zucchero
- ½ limone
- 1 bustina di vanillina
- 500 ml di panna liquida fresca
- qualche fragola per guarnire

Tagliare le fragole a metà, metterle in una padella con lo zucchero e il succo del limone e cuocerle a fuoco molto dolce fino a che non diventano morbide e sciroppose. Mettere il composto nel mixer, aggiungere la vanillina, frullare e fare raffreddare. Montare la panna e mescolarla alla purea di fragole con un movimento dal basso verso l'alto. Riempire delle formine monoporzione o uno stampo da plum-cake con il composto e fare solidificare in freezer. Servire guarnendo con qualche fragola fresca tagliata a pezzetti.

Questa sera avevo proprio voglia di una bella vellutata, verde
chiaro e delicata, proprio come le zucchine che si trovano in
questa stagione. In questa ricetta il segreto sta nell'aggiungere
un abbondante cucchiaio di pesto. Sono tornata a casa con un
bell'anticipo e mi sono messa all'opera. In realtà preparare una
vellutata è un lavoro abbastanza veloce, ma con la bella stagione bisogna servirla appena tiepida, altrimenti trasformerete una
piacevole serata estiva in un'orrenda tortura. Dunque, ci vuole
un po' di tempo per farla raffreddare a dovere. L'ideale è versarla
su una bella fetta di pane abbrustolito... proprio come fa Cilli.

## Vellutata di zucchine  4

- 500 g di patate
- 700 g di zucchine chiare
- ½ dado
- 1 cucchiaio di pesto pronto
- sale
- basilico
- pane a fette
- parmigiano

Sbucciare le patate e tagliarle a pezzi piccoli (così cuoceranno più velocemente), tagliare a tocchetti anche le zucchine.
Mettere le verdure in una pentola con il mezzo dado e il
sale e ricoprirle a filo con l'acqua. Lasciare cuocere fino a
che le verdure non sono morbidissime e frullare il tutto con
il frullatore a immersione fino a ottenere una crema della
giusta consistenza (prima di frullare, io tolgo 1 o 2 mestoli d'acqua di cottura per evitare che la vellutata sia troppo
liquida: conservare comunque l'acqua eliminata perché, se
la crema risultasse invece troppo densa, potrete sempre aggiungerla). Completare con un bel cucchiaio di pesto sciolto nella vellutata e portare in tavola con qualche fogliolina
di basilico per guarnire, accompagnando con fette di pane
spolverizzate con un po' di parmigiano e tostate al forno.

18 maggio
*Aperitivo*
*per due...*
*anzi, per*
*quattro*

*Con queste belle giornate cenare in casa, seduti a tavola, a volte può sembrare quasi una punizione. Così questa sera mi sono studiata degli spiedini di pollo molto speziati, che ho infilzato nei bastoncini di legno, da mangiare rigorosamente con le mani in terrazzo, così se si sgocciola non succede niente. Buonissimi ma dal gusto molto deciso! Tant'è vero che avevo pensato di far cenare le bambine prima e di concedermi poi una specie di aperitivo-cena con Fabio. Invece Matilde ed Eleonora si sono avventate come dei leoncini sugli spiedini, anche se erano decisamente piccanti. Come dar loro torto? Erano squisiti! Peccato solo per il mio aperitivino romantico...*

## Spiedini di pollo speziati con salsa al miele

2

- ½ petto di pollo
- sale grosso

*per la marinata*
- 1 spicchio d'aglio
- 150 ml d'olio extravergine
- 1 cucchiaio di paprika (abbondante)
- una puntina di peperoncino (secondo i gusti)

- 1 cucchiaio di semi di sesamo
- il succo di mezzo limone
- 1 cucchiaino di sale
- pepe

*per la salsa*
- 1 cucchiaio di miele
- 2 o 3 cucchiai di senape (secondo i gusti)

Versare l'olio in una padella e farvi scaldare l'aglio schiacciato senza che soffrigga. Togliere dal fuoco e unire tutti gli altri ingredienti della marinata. Tagliare il petto di pollo a strisce lunghe, che dovranno poi essere infilzate negli spiedi di legno, e immergerle nella marinata per almeno 30 minuti. Scaldare la griglia sui fornelli, spolverizzarla di sale grosso, sistemarvi le strisce di petto di pollo senza sovrapporle e far cuocere a fuoco vivace. Girare a metà cottura e al termine, bagnare con la marinata avanzata. Mentre il pollo si raffredda un po', mescolare il miele con la senape (assaggiare in modo da calibrare le quantità a seconda del vostro gusto). Da ultimo, infilzare il pollo negli spiedini e servirli accompagnati con una ciotolina di salsa.

*Domani festa di fine anno all'asilo della Leo. Naturalmente sono stata delegata a preparare delle torte. Visto che la classe è numerosa e non conosco i gusti di tutti, sono andata sul sicuro. Super torta di mele. Piena zeppa di fettine di mele, morbida, umida, alta, soffice... Basta! Mi fermo oppure vado in cucina e me la mangio subito. Sono peggio delle mie bambine!!!*

*22 maggio*
*La mia torta preferita*

## Torta di mele di Allan Bay                 6 👤

- 6 mele golden
- 3 uova
- 300 g di zucchero + qualche cucchiaio
- 100 g di burro
- 2 dl di latte
- 300 g di farina
- 1 bustina di lievito

Sbucciare le mele, poi tagliarle a spicchi e infine a fettine nel senso della lunghezza. Rompere le uova in una ciotola, aggiungere lo zucchero e sbattere il composto. Quando è spumoso unire il burro sciolto (io lo sciolgo nel microonde), il latte e infine la farina miscelata con il lievito e mescolare bene. Foderare di carta da forno una teglia ampia e profonda. Versare l'impasto nella teglia e infilare nella pasta tutte le fettine di mela (io le metto in fila una dietro l'altra, ma potete anche scegliere un altro motivo decorativo: l'importante è che penetrino bene fino in fondo all'impasto in modo da renderlo umido e ricco di frutta). Spolverizzare con un po' di zucchero, infornare a 180° e lasciare cuocere per 30-40 minuti. Fare attenzione che anche l'interno sia ben cotto pur rimanendo molto morbido.

### P.S.

*Questa torta è talmente grande che una tortiera rotonda da 26 cm risulta troppo piccola e l'impasto rischia di debordare. Meglio optare per una teglia rettangolare dai bordi belli alti.*

---

**23 maggio**
**Torta**
**di verdura**
**super**

*Quanto mi piacciono le torte di verdura! Ci si può sbizzarrire secondo i gusti e gli ingredienti che si hanno nel frigo. Questa settimana c'è stato un aperitivo a casa di una mia amica al quale non ho potuto partecipare per via del lavoro. Ebbene l'altro giorno al bar, a colazione, il discorso è finito sulla super torta al radicchio e taleggio che aveva portato Tiziana. Naturalmente mi sono fatta dare subito la ricetta e oggi mi cimenterò.*

## Torta al radicchio e taleggio          4-6 ▲

- 1 rotolo di pasta sfoglia rettangolare già pronta
- 3 cipollotti
- 3 cespi di radicchio di Chioggia
- ½ bicchiere di vino bianco o rosso
- 2 uova
- qualche cucchiaio di grana grattugiato
- 100 g di taleggio
- olio extravergine
- sale

Tagliare i cipollotti ad anelli e farli rosolare in una padella con un po' d'olio. Una volta appassiti, unire il radicchio tagliato grossolanamente e far stufare dolcemente a tegame coperto, dopo aver aggiunto il sale e il vino. Quando il radicchio è cotto e morbido, unire le uova (io lo faccio direttamente nella padella ma, se il radicchio è troppo acquoso, prima lo strizzo un pochino). Dopo aver incorporato le uova e mescolato per bene, completare con il grana. Rivestire con la pasta sfoglia una teglia foderata di carta da forno, bucherellare la base e distribuirvi il composto. In ultimo, tagliare il taleggio a cubetti e ricoprire la superficie della torta. Mettere in forno a 180° e cuocere per circa 30 minuti. Secondo me è buona servita leggermente tiepida o addirittura fredda.

*Non so a voi, ma a me il pesto risulta spesso indigesto, non per colpa dell'aglio ma proprio del basilico che, essendo un gastrostimolatore, può dare fastidio. È una vera sofferenza perché trovo che sia un condimento magnifico, ma la maggior parte delle volte devo rinunciarci. Allora oggi ho provato il pesto di rucola, ricetta ancora una volta di Francesca. Facilissimo e pratico. L'unico accorgimento è quello di usare della rucolina tenera tenera, altrimenti sarà troppo amaro. A me è venuto una squisitezza. Promosso da tutta la famiglia.*

*26 maggio*
*Pesto leggerissimo*

## Orecchiette con pesto di rucola e pomodorini

4

- 320 g di orecchiette
- 80 g di rucola
- 65 g di pinoli
- 65 g di mandorle

- 65 g di parmigiano
- 1 spicchio d'aglio (facoltativo)
- olio extravergine
- 8 pomodorini
- sale

Lessare le orecchiette in acqua salata. Mentre cuociono, mettere nel mixer la rucola, i pinoli, le mandorle, il parmigiano, una presa di sale e abbondante olio e tritare il tutto. Aggiungere, se necessario, alcuni cucchiai d'acqua di cottura della pasta per rendere il composto più cremoso. Tagliare i pomodorini a spicchi. Scolare le orecchiette tenendo da parte un po' d'acqua di cottura. Condirle con il pesto e, se serve, mantenere la cremosità del condimento aggiungendo altra acqua di cottura. Da ultimo guarnire coi pomodorini e servire.

**27 maggio**
**Come al ristorante**

*Casa nostra ormai è diventata un vero ristorante e la cosa mi diverte e mi atterrisce allo stesso tempo. Un esempio? Questa sera la mia amica Laura è venuta a riprendere sua figlia Elisa che si era fermata a giocare con Matilde dopo la scuola. Fatto sta che si siede a fare due chiacchiere e poi, puntuale, scatta la domanda fatidica: «Aperitivo?». Perché no? Il caso vuole che stessi provando a fare un nuovo antipasto per la puntata di Cotto e mangiato: delle mazzancolle croccanti avvolte negli spaghetti di riso. Così, tra una chiacchiera e l'altra, ne ho fritte due o tre, poi altre quattro o cinque tanto che le bambine attirate dal profumo del fritto hanno mollato i giochi e si sono piazzate con noi in cucina nella postazione degli assaggiatori! Ne valeva veramente la pena. Dal momento che ormai erano le otto, abbiamo avvisato anche Alessandro, il marito di Laura, che si è presentato con una bella bottiglia di bianco frizzante.*

*Da cosa nasce cosa, e, visto che l'olio era caldo, abbiamo fritto anche dei meravigliosi anelli di calamari. E voilà! Ecco fatta una bella cenetta.*

## Mazzancolle croccanti con spaghettini di riso

4

- 12 mazzancolle fresche o surgelate
- 1 matassa di spaghettini di riso cinesi
- soia
- paprica
- glassa di aceto balsamico
- olio per friggere

Mettere a bagno in acqua fredda per 15-20 minuti una matassa di spaghettini di riso e lasciare che si ammorbidisca. Nel frattempo, sgusciare le mazzancolle lasciando però la testa e la coda. Prelevare un ciuffetto di spaghettini dalla matassa ammorbidita e avvolgerli saldamente intorno alla parte polposa delle mazzancolle, come fosse un bendaggio (operazione che richiede un po' di abilità manuale). Appoggiare delicatamente le mazzancolle così fasciate in un piatto (se ci sarà qualche ciuffetto di spaghetti che spunterà, andrà benissimo lo stesso) poi immergerle in abbondante olio bollente e farle friggere fino a che gli spaghettini non saranno dorati e croccanti. Scolarle dall'olio e servirle spolverizzate di paprica o accompagnate da una ciotolina di soia o, ancora, bagnate di glassa di aceto balsamico.

*Che testa di rapa sono! Ero sicura che Fabio mi avesse detto che ieri sarebbe arrivato a cena con un po' di amici per vedere la partita, così ho fatto mezzo chilo di spaghettini con cipollotto e pomodorini: ricetta estiva semplice, che di solito piace agli uo-*

29 maggio
Un errore goloso

*mini. Già, peccato che l'abbia cucinata nella serata sbagliata! Mannaggia a me... Per quanto le bambine e io ci siamo impegnate, ne abbiamo avanzata una cifra. Però non l'ho buttata. I ragazzi sono arrivati questa sera e indovinate un po'... Ho fatto la frittatona di pasta che, davanti alla TV durante una partita, ha sempre il suo perché. Il segreto è non servirla troppo calda. Anzi, a me piace tiepidina tendente al freddo. Così si assaporano tutti i gusti tenuti insieme dalla frittura. Insomma è stata un successo. Meglio che se avessi preparato una pasta espressa! E poi era anche più facile da mangiare.*

## Frittata di pasta di riciclo

4 🧍

- 200 g circa di spaghetti al sugo avanzati
- 2 uova
- 1 mozzarella (facoltativa)
- 2 o 3 cucchiai di grana
- olio per friggere

In una ciotola sbattere le uova con il grana, aggiungere gli spaghetti e mescolare bene. Se è gradita si può unire anche una mozzarella tagliata a dadini. Scaldare una padella con un po' d'olio, versarci il composto con gli spaghetti, appiattire e livellare bene la frittata di pasta. Friggere fino a che la base non sarà ben abbrustolita. A quel punto girare la frittata con l'aiuto di un coperchio o utilizzando la padella doppia e rosolare anche l'altro lato. Servire tiepida o fredda.

*Quiche di fiori di zucca e gamberoni (pag. 204)*

# GIUGNO

*Più fa caldo e meno si cucina, si sa. Eppure, quanti buoni piattini si possono preparare con l'arrivo dell'estate! Melanzane, zucchine, insalatine tenere e poi tanto pesce che mi fa pregustare il mare e le vacanze che si avvicinano.*

Sformato di fagiolini
alla ligure

Costolette di agnello
con crema di melanzane

Linguine al pesto
di zucchine

Tagliatelle alle
mazzancolle e pomodorini

Pollo alle mandorle

Melanzane
alla parmigiana leggere

Insalata di riso
per bambini

Minestra di purè

Fagottini golosi

Torta soffice al limone

Riso Venere
con salmone marinato

Insalata cotta e cruda

Crocchette di gamberetti

Quiche di fiori di zucca
e gamberoni

Risotto alle fragole

Seppie gratinate

Scampi al rosmarino

Piadina romagnola

Spezzatino tenerissimo

*Mi piace fare tardi al parco giochi con le bambine e Diego. Il problema è che poi, quando arriviamo a casa, è tutta una corsa. Le bambine che si devono fare la doccia, Diego che deve fare il bagnetto, la sua pappa, la cena per noi... L'ideale è organizzarsi prima, preparando qualcosa che al ritorno ti aspetta lì, pronto per essere mangiato. Questo sformato ai fagiolini è perfetto. Tagliato a quadrotti è ottimo anche per un antipasto o un aperitivo.*

## Sformato di fagiolini alla ligure 4 👤

• ½ kg di fagiolini
• ½ kg di patate
• 100 g di grana
• 3 uova

• pangrattato
• olio extravergine
• sale

Pulire, lessare e scolare i fagiolini. Lessare le patate, scolarle e sbucciarle. Passare entrambe le verdure nel passaverdura in modo da ottenere un composto omogeneo, condirlo con il sale e il grana e unire le uova. Meglio assaggiare per controllare che sia ben saporito ed eventualmente aggiungere altro sale e grana. Versare il tutto in una teglia foderata di carta da forno e spolverizzare la superficie con il pangrattato. Irrorare con olio e mettere in forno a 180° per circa 20-30 minuti, fino a che non si sarà formata una bella crosticina dorata.

### P.S.

*Si possono realizzare anche dei comodi sformatini monoporzione.*

*Questa sera finalmente abbiamo acceso il barbecue. La serata era calda e chiara. In men che non si dica nell'aria si è diffuso un profumino irresistibile di costolette di agnello. Mi stupisco che qualche vicino o passante non ci abbia suonato il campanello per avere un assaggio! A completare il tutto ho fatto anche una salsina alle melanzane leggerissima e molto gustosa. Ricetta della mia collega Anna Maria Mainetti.*

*3 giugno*
*Primo*
*barbecue*
*estivo*

## Costolette di agnello con crema di melanzane

4

- 6 costolette di agnello
- olio extravergine

- sale grosso

*per la crema di melanzane*
- 2 melanzane piccole
- ½ spicchio d'aglio
- 2 cucchiai di yogurt greco

- 3 cucchiai d'olio extravergine
- sale

Avvolgere le melanzane nella stagnola e farle cuocere in forno a 180° circa 30-40 minuti finché non diventano morbide. Farle intiepidire, spellarle e strizzarle con le mani come fossero una spugna per eliminare l'acqua per bene, poi frullarle con lo yogurt, l'aglio, il sale e l'olio fino a ottenere una crema. Cuocere le costolette, 2 minuti circa per lato, sul barbecue (oppure potete utilizzare una piastra rovente unta d'olio e spolverizzata con abbondante sale grosso: una bistecchiera o una padella antiaderente). Servire le costolette accompagnandole con una cucchiaiata di crema di melanzane.

5 giugno
Basta che
si chiami
pesto...

*Questo pesto, fatto con tante sanissime zucchine, oltre a essere velocissimo da preparare, è veramente buono: ha superato brillantemente l'esame di tutta la famiglia! L'autrice è Stefania Cavallaro, la mia collega di Studio Aperto.*

## Linguine al pesto di zucchine

- 320 g di linguine
- 3 zucchine grandi, circa 450 g
- una manciata abbondante di foglie di basilico (circa 40 g)
- 3 cucchiai di pinoli
- 1 dl d'olio extravergine
- parmigiano
- sale

Tagliare le zucchine a rondelle e saltarle in padella con poco olio. In alternativa, le zucchine si possono anche lessare o, per fare più in fretta, utilizzare quelle surgelate, già tagliate a rondelle, mettendole nel microonde per pochi minuti. Mettere a lessare le linguine. Una volta cotte le zucchine, frullarle con i pinoli, il basilico, il sale, l'olio e un po' d'acqua di cottura della pasta. Scolare la pasta, condirla con il pesto e aggiungere in ultimo il parmigiano.

6 giugno
Inventarsi
un
pranzetto

*Ecco una pasta da ricordare per togliersi d'impiccio all'ultimo momento facendo pure una gran figura. Oggi, domenica, dovevamo andare a pranzo al ristorante con i miei genitori, arrivati per l'occasione da Alessandria. Peccato che Eleonora si sia beccata l'influenza, così non siamo più potuti uscire. Allora l'unico modo per rimediare era organizzare un pranzetto a casa: così, unendo le risorse del frigorifero e del freezer, ho messo insieme delle tagliatelle, dei pomodorini e delle code di mazzancolle surgelate già sgusciate. Le ho arricchite con un tocco di colore spezzettando nel sugo all'ultimo momento qualche foglia di rucola. Buonissime! Avevo ancora metà di una torta di taleggio e radicchio, che ho tagliato a pezzetti e ho presentato come aperitivo insieme a un avanzo di pecorino dolce, che ho servito semplicemente a scaglie su un tagliere. Prosciutto e melone, il primo della stagione, e il pranzo è stato un successo senza troppa fatica.*

## Tagliatelle alle mazzancolle e pomodorini

4

- 250 g di tagliatelle all'uovo
- 300 g di pomodorini
- 3 spicchi d'aglio
- olio extravergine

- 400 g di mazzancolle surgelate già sgusciate
- una manciata di rucola

Versare abbondante olio in una padella, soffriggervi l'aglio schiacciato, inclinando il tegame in modo che gli spicchi risultino ben immersi nell'olio e farli rosolare dolcemente fino a che non saranno morbidi. Raddrizzare la padella, versarvi i pomodorini tagliati a metà, salare e fare rosolare per circa 10 minuti a fuoco medio con il coperchio, senza mescolare troppo in modo che non si rompano. Infine unire le mazzancolle ancora surgelate, farle cuocere pochi minuti, altrimenti diventano durissime, e spegnere il fuoco. Lessare le tagliatelle, scolarle, buttarle nel sugo e farle saltare velocemente. Una volta spento il fuoco, aggiungere la rucola spezzettata grossolanamente con le mani o con un coltello (non mettetene troppa, mi raccomando!).

*P.S.*

*Se proprio non vi piace la rucola, potete anche farne a meno e completare con un po' di prezzemolo.*

Chi l'avrebbe mai detto che cucinare cinese fosse così facile! Basta avere un po' d'intraprendenza per scoprire che si possono creare piatti appetitosi e per niente pesanti, anzi. Questa sera le bambine erano un po' tristi perché Fabio è partito per il Sudafrica per i mondiali di calcio. Allora, per tirarle su, ho preparato il classico pollo alle mandorle. Un gusto molto semplice, che ai più piccoli non può non piacere. L'ho accompagnato con riso bollito, saltato però con un po' di pisellini, mais e fagiolini, così hanno mangiato anche la verdura. Va be', Matilde ha condito il suo riso cinese con il grana, ma per il resto sembrava di essere a Shanghai...

## Pollo alle mandorle
4 🧑

- 70 g di mandorle spellate
- 3 cipollotti
- 1 radice di zenzero o 1 cucchiaio di zenzero in polvere
- 1 petto di pollo
- maizena o farina
- qualche cucchiaio di soia
- 1 bicchiere di brodo vegetale
- olio extravergine
- sale

Come prima cosa, far tostare le mandorle in una padella unta d'olio finché non risultano un po' abbrustolite. Togliere le mandorle dalla padella, aggiungere altro olio e mettervi a rosolare i cipollotti tritati e lo zenzero (se usate la radice fresca dovrete grattugiarla direttamente nel soffritto). Tagliare il petto di pollo a bocconcini molto piccoli, della stessa grandezza delle mandorle, infarinarli e buttarli nel soffritto. Farli rosolare velocemente, aggiustare di sale, poi aggiungere le mandorle, sfumare con soia e brodo, e far restringere il sugo, che deve risultare marroncino e cremoso.

*Quanto sono buone le melanzane alla parmigiana. Io di solito le faccio seguendo la ricetta alla lettera e friggendo per bene tutte le melanzane! Quest'oggi però, con questo caldo, non mi andava di stare a penare davanti a una pentola d'olio bollente e così ho optato per una ricetta più leggera, ma altrettanto gustosa.*

*10 giugno*
*Parmigiana*
*super*
*leggera*

## Melanzane alla parmigiana leggere    4

- 2 melanzane grandi
- grana grattugiato

- ½ mozzarella (o anche intera)

*per il sugo*
- 2 spicchi d'aglio
- 2 barattoli
  di pomodori pelati
- basilico

- zucchero
- olio extravergine
- sale

Schiacciare l'aglio, farlo soffriggere con abbondante olio in un tegame inclinando la padella in modo da sommergerlo completamente. Poi raddrizzare il tegame e versare i pomodori pelati, condire con sale, zucchero e basilico e lasciare cuocere il sugo almeno mezz'ora a tegame coperto. Nel frattempo affettare le melanzane abbastanza sottili (ma non troppo, altrimenti si seccheranno!). Disporre le fette su una teglia foderata di carta da forno e farle cuocere in forno ventilato a 180° per circa un quarto d'ora (regolatevi secondo la potenza del vostro forno). Le melanzane devono essere ben cotte e morbide. Quando le melanzane e il sugo saranno pronti, prendere una teglia alta e rettangolare, versare un po' di sugo sul fondo e alternare uno strato di melanzane, un mestolino di sugo ben distribuito e una manciata abbondante di grana, fino a esaurire tutti gli ingredienti (io di solito faccio tre strati di melanzane). Per concludere, distribuire una dadolata di mozzarella e ancora tanto grana. Infornare a 180° e cuocere per circa 15 minuti, finché non sarà tutto gratinato per bene.

*11 giugno*
*Basta*
*capricci* *Basta! Non ne posso più di sprecare il mio tempo a fare l'insala-ta di riso piena di cose buone, gustose e colorate e assistere alla vivisezione del piatto appena servo i bambini. Uno scempio: via le cipolline, no ai carciofini, guai i funghetti... Alla fine è più quello che finisce sulla tovaglia che quello che resta nel piatto. Oggi però mi sono ribellata e ho vinto! Ho fatto un'insalata di riso sanissima, condita solo con verdure e tonno e tutti l'hanno mangiata di gusto, persino le amichette di Matilde ed Eleonora che erano invitate a pranzo.*

## Insalata di riso per bambini                          4-6 👤

- 300 g di riso
- 100 g di pisellini surgelati
- 100 g di fagiolini
- 100 g di pomodori ciliegini
- 100 g di mais
- 300 g di tonno sott'olio
- olio extravergine
- sale

Lessare in acqua salata i fagiolini e i piselli separatamente. Una volta cotti e scolati, tagliare a pezzetti i fagiolini. Lessare il riso, scolarlo quando la cottura è al dente, passarlo sotto l'acqua fredda e versarlo in una terrina. Sgocciolare il tonno, sminuzzarlo e unirlo al riso. Aggiungere anche i fagiolini, i piselli, i pomodorini tagliati a metà e il mais scolato. Completare con un po' d'olio, aggiustare di sale e lasciare riposare in frigorifero.

## P.S.

Se l'insalata di riso fosse per me, metterei anche i funghetti, i carciofini sott'olio e le cipolline sottaceto. Sempre leggera ma con un po' più di carattere.

---

Fabio è ancora in Sudafrica e noi ci siamo trasferite per qualche giorno in campagna con i miei genitori: qui i bambini si divertono come pazzi. La cucina naturalmente è saldamente in mano a mia madre, proprio come quando ero una ragazzina, e la cosa non mi dispiace più di tanto, a essere sincera! Questa sera, dal momento che era avanzato un po' di purè di patate (quello in busta, tra l'altro), mia madre ha pensato bene di usarlo come base per una minestra con le tagliatelline all'uovo. Davvero degna di nota!

*12 giugno*
*Le mille vie del riciclo*

## Minestra di purè

**3-4 bambini**

- l'avanzo di circa ½ busta di purè in alternativa 750 ml d'acqua e circa 6 cucchiai di preparato per purè istantaneo
- 1 dado di carne
- 2 nidi circa di tagliatelline secche all'uovo o 4 o 5 cucchiai di pastina
- grana grattugiato
- prezzemolo

Mettere il purè avanzato in una pentola e allungarlo con l'acqua in modo che diventi una specie di vellutata, ma più liquida. Unire un dado di carne, aggiustare di sale e portare a bollore. Tuffare nella vellutata la giusta quantità di tagliatelline all'uovo (io le rompo un po' con le mani in modo che non rimangano troppo lunghe). Una volta a cottura completare con abbondante grana e, a piacere, con un po' di prezzemolo tritato.

*Quest'oggi mio papà ha fatto una richiesta più che lecita: «Magari, se la mattina ci fosse qualche dolce a colazione, non sarebbe male...», ha azzardato. E come non raccogliere il suo invito?*
*Di nascosto da mia madre, ho prodotto dei velocissimi fagottini di pasta sfoglia ripieni di Nutella. Un gioco da ragazzi. Peccato che erano talmente buoni che non sono arrivati alla colazione del giorno dopo!*

## Fagottini golosi

4

- 1 rotolo di pasta sfoglia
  già pronta
- Nutella
- 1 pera

- 1 tuorlo
- qualche cucchiaio di latte
- zucchero a velo

Sbucciare la pera e privarla del torsolo. Stendere il rotolo di pasta sfoglia e tagliare la pasta a triangoli. Nel mezzo di ciascuno mettere un cucchiaino di Nutella e un pezzetto di pera sbucciata. Richiudere i triangoli piegandoli a metà e sigillare bene i bordi. Disporre i fagottini sulla placca del forno foderata di carta da forno. Sbattere il tuorlo con il latte e spennellare abbondantemente i fagottini. Passarli in forno a 180° fino a che non diventano dorati e gonfi. Toglierli dal forno, farli intiepidire e poi spolverarli di zucchero a velo.

*...E il mio papà è ancora senza dolce della colazione! Così oggi, sempre di nascosto da mia madre, ci ho riprovato con una torta soffice all'aroma di limone che è fatta apposta per essere inzuppata nel latte. Missione compiuta!*

## Torta soffice al limone 6

- 3 uova
- 200 g di zucchero
- 100 g di burro
- 350 g di farina
- 1 bustina di vanillina
- 1 bustina di lievito
- 150 ml di panna fresca
- 1 limone
- zucchero a velo

Mettere nel mixer tutti gli ingredienti, tranne il limone e lo zucchero a velo, e dare una prima frullata. Aggiungere all'impasto la scorza del limone grattugiata e unire anche il succo del limone stesso. Dare un'altra frullata e versare il composto in una tortiera foderata di carta da forno. Infornare a 180° e cuocere per 30 minuti. Prima di servire, spolverizzare la torta con lo zucchero a velo.

*Tornati a casa dalla campagna, finalmente sono di nuovo padrona della mia cucina e anche di sperimentare qualcosa di esotico, come questo riso nero condito con il salmone rosa: un gusto e un colore davvero speciali, ideale da servire come aperitivo o antipasto! Grazie a Chiara per la ricetta.*

*19 giugno*
*Qualcosa*
*di esotico*

## Riso Venere con salmone marinato 4

- 100 g di riso Venere
- 100 g di salmone affumicato
- 1 limone
- erba cipollina
- sale e pepe

Lessare il riso in acqua bollente salata (ci metterà parecchio!), Nel frattempo tagliare sottilmente l'erba cipollina (oppure, se non si trova, si può utilizzare la parte verde di un cipollotto), raccoglierla in una ciotola e aggiungere il succo del limone. Tagliare il salmone affumicato a striscette e metterlo a marinare nella ciotola con la marinatura (se lo amate, potete aggiungere anche del cipollotto fresco tagliato a rondelle sottili, facendolo marinare insieme al salmone). Scolare il riso, passarlo trenta secondi sotto l'acqua corrente fredda, versarlo nella ciotola con il salmone e tutta la marinatura, mescolare e servire come antipasto in piccole ciotoline.

*20 giugno*    *Questa insalata mi arriva da Rosa, che non si dimentica mai di*
*Un segugio*    *me. Quando va a cena fuori e assaggia qualcosa di buono prende*
*gastronomico*   *nota e poi mi riferisce. È veramente un aiuto prezioso per scovare*
*nuove ricette. Meno male che ci sono le amiche!*

## Insalata cotta e cruda     4

- 4 carciofi
- 1 limone
- 1 ciuffo di prezzemolo
- 1 spicchio d'aglio
- 400 g di tonno fresco in 4 fette

- olio extravergine
- sesamo tostato
- insalata
- sale

Privare i carciofi delle foglie esterne più dure, tagliarli a spicchi e poi a fettine sottili. Farli cuocere in acqua bollente con il succo di ½ limone, il prezzemolo, l'aglio e il sale, per 5 minuti da quando riprende il bollore, poi scolare e tenere da parte. Tagliare il tonno a cubetti e farlo rosolare un minuto in una padella calda bagnata con il succo del mezzo limone rimasto. Salare e mettere da parte. In un piatto da portata disporre un letto di insalata, condirla con olio e sale, coprire con i carciofi e completare con i cubetti di tonno. In ultimo, condire ancora con altro olio, sale e semi di sesamo.

*Di solito non amo molto i gamberetti, quelli piccoli e rosa che, una volta cotti, diventano generalmente ancora più piccoli e spesso anche duri. Per fare le crocchette, invece, sono perfetti! Nella mia famiglia ne sono tutti ghiotti. Le ho servite accompagnate da una bella insalata verde e croccante, arricchita da mais, sedano e carote, e infine ho portato a tavola la prima anguria di stagione.*

*21 giugno*
*Un pranzetto estivo*

## Crocchette di gamberetti    4

• 300 g di gamberetti rosa freschi
• 1 fetta di pancarré
• 1 cucchiaio abbondante
  di paprica
• farina
• 1 uovo
• pangrattato
• olio per friggere
• sale e pepe

Tritare nel mixer i gamberetti sgusciati (se non ne avete di freschi usate pure quelli surgelati, dopo averli scongelati) con una fetta di pancarré, la paprica, sale e pepe. Formare delle palline, passarle prima nella farina, poi nell'uovo sbattuto e infine nel pangrattato. Una volta preparate tutte le crocchette, friggerle in abbondante olio di semi e regolare di sale una volta scolate.

*Oggi al supermercato ho trovato dei fiori di zucca bellissimi e non ho resistito. Non avevo voglia di friggerli in pastella e non li amo come sugo della pasta o del risotto perché si afflosciano e perdono il loro bell'aspetto e la loro consistenza. Così ho sperimentato questa torta di verdura che sembra un quadro tanto è bella... Per non parlare di quanto è buona! Cosa non trascurabile, si prepara tutto a crudo sulla sfoglia in 5 minuti.*

## Quiche di fiori di zucca e gamberoni  4 👤

- 1 rotolo di pasta sfoglia già pronta
- 12 gamberoni
- 12 fiori di zucca
- 3 tuorli
- 3 dl di panna fresca
- 3 cucchiai di grana grattugiato
- sale e pepe

Sgusciare i gamberoni e togliere il pistillo all'interno dei fiori di zucca. Stendere la pasta sfoglia in una teglia, fare un bordino e bucherellare il fondo. Distribuire, a crudo, i fiori di zucca e i gamberoni sulla pasta sfoglia, in modo da ricoprirla completamente. Salare e pepare. Sbattere i tuorli d'uovo e amalgamarli con la panna, il grana e un pizzico di sale. Versare il composto sulla torta in modo che si distribuisca tra i gamberi e i fiori di zucca anche coprendoli parzialmente. Mettere in forno a 180° e cuocere per circa 40 minuti, finché la farcitura non si è rappresa. Servire tiepida o fredda.

*La prima volta che ho mangiato il risotto alle fragole avevo forse 16 anni. Luciano, il mio ex moroso, mi aveva portata in un elegantissimo ristorante di Alessandria: forse voleva riconquistarmi... Non ricordo quello che ci dicemmo, certo però non dimentico quel risot-*

*to! Squisito... Di un colore e di un profumo davvero irresistibili.*
*Non l'avevo mai più mangiato, ma questa sera mi è venuta voglia*
*di cucinarlo per Matilde ed Eleonora. Devo dire che sul momento*
*ha suscitato un certo scalpore poi, invece, lo hanno apprezzato*
*moltissimo. Non ne è avanzata nemmeno una cucchiaiata. Meno*
*male, non credo che mi sarei azzardata a ricavarne dei supplì!*

## Risotto alle fragole

4

- 300 g di riso
- 12 fragole + 1 o 2 per guarnire
- 1 bicchiere di vino
- 1 scalogno grosso
- 1 litro circa di brodo vegetale
- grana
- burro
- erba cipollina
- olio extravergine
- sale e pepe

Tagliare le fragole a tocchetti e metterle in infusione nel
vino. Tagliare lo scalogno a rondelle sottili e farlo rosolare
in un tegame con un po' d'olio. Quando è appassito, ma
non ha preso colore, unire il riso e fare tostare bene. Scolare
le fragole e usare il vino dell'infusione per sfumare il riso.
Una volta che il vino si è asciugato, cominciare a bagnare
il riso con il brodo e aggiustare di sale e di pepe. A metà
cottura circa aggiungere le fragole e altro brodo e mescolare fino a che il riso è cotto e il brodo asciugato. Spegnere
il fuoco, aggiungere il grana e il burro e mantecare mescolando vigorosamente. Servire con un po' di erba cipollina
tagliata al momento e una o due fragole per guarnire.

P.S.

*Secondo me non ci sta male qualche goccia di aceto*
*balsamico per completare e colorare il piatto.*

*25 giugno*
*Cena*
*di mare*
*velocissima* *Questa sera cenetta di mare in attesa di partire per le vacanze. Due piatti molto veloci ma di sicuro effetto: seppie gratinate e scamponi al rosmarino, quest'ultima ricetta è di Carlo, che ci delizia ogni estate con i suoi piattini. Un'ottima scusa per stappare un buon vino bianco ghiacciato. È bastata una seratina così per sentirsi già in vacanza!*

## Seppie gratinate

- 250 g di seppie
- 2 spicchi d'aglio
- 2 cucchiai di olive nere denocciolate
- 1 cucchiaio di capperi sotto sale
- pangrattato
- 1 ciuffo di prezzemolo
- olio extravergine

Tagliare le seppie ad anelli. In una padella far soffriggere l'aglio schiacciato con 2 cucchiai d'olio, poi aggiungere le seppie e lasciare insaporire a fuoco vivo. Unire le olive e i capperi ben sciacquati (niente sale, mi raccomando!). Coprire la padella e far cuocere circa una mezz'ora. Trasferire poi il tutto in una pirofila, spolverizzare con abbondante pangrattato e prezzemolo tritato, completare con un filo d'olio e far gratinare in forno con funzione grill.

## Scampi al rosmarino

- 15-20 scampi di media grandezza
- 20 g di burro
- 1 cucchiaio d'olio extravergine
- 1 cucchiaino di estratto di carne
- rosmarino

Praticare un taglio sul dorso del carapace degli scampi con un paio di forbici. Fondere, in un'ampia padella, il burro con l'olio e aggiungere l'estratto di carne in modo che si sciolga. Versare contemporaneamente nella padella gli scampi e abbondante rosmarino, e cuocere a fuoco vivace per pochi minuti (la cottura deve essere brevissima: se volete più sughetto, si può sfumare con un po' di vino bianco). Servire caldi.

*P.S.*

*Sentirete che profumo!!*

*Che soddisfazione! Sono tornata da Forlimpopoli, paese natale di Pellegrino Artusi, con in mano la super ricetta della vera piadina romagnola, scritta e firmata da nonna Nadia. Naturalmente non ho resistito... Nonostante avessi tutte le valigie da fare in vista della nostra partenza per il mare, ho mollato tutto, anche il piccolo Diego, e mi sono messa all'opera, coadiuvata da Matilde ed Eleonora che si sono preparate la loro personale piadina. È stato un vero successo questa volta. Molto più semplice di come immaginassi. Che bontà e che soddisfazione mangiare la piadina fatta in casa! L'unico difetto? La forma: non proprio tonda... Ci dovrò lavorare un po' su!*

*26 giugno*
*Romagna*
*mia*

## Piadina romagnola    5-6 piadine

- ½ kg di farina
- 70 g di strutto
- ½ bustina di lievito per torte salate
- 1 cucchiaino di miele
- latte (più o meno 1 bicchiere scarso)
- 2 cucchiaini di sale

Mescolare la farina con il lievito e il sale. Sciogliere lo strutto (io lo faccio nel microonde) e unirlo alla farina incominciando a mescolare. Far intiepidire il latte e sciogliervi il miele. Unire poco a poco il latte tiepido all'impasto e lavorare con le mani per 5-10 minuti fino a ottenere un panetto dalla consistenza elastica e omogenea. Lasciar riposare sotto un canovaccio per circa un quarto d'ora poi dividere l'impasto in parti uguali, poco più grandi di una pallina da ping pong. Stendere ogni porzione con il mattarello, infarinando leggermente la superficie del piano di lavoro e anche quella dell'impasto per evitare che, durante la lavorazione, i dischi di pasta si appiccichino (io impilo una sull'altra le piadine così ottenute, separandole con un foglio di carta da cucina o un tovagliolino di carta e le copro nuovamente con il canovaccio). Mettere sul fuoco una padella grande e antiaderente senza ungerla. Quando è ben calda mettervi a cuocere le piadine, uno o due minuti per lato, punzecchiandole con la forchetta. Togliere le piadine dal fuoco e tenerle in caldo sotto un tovagliolo, poi farcirle a piacere, mentre sono ancora calde, con squacquerone o stracchino, prosciutto, rucola o quello che volete! Piegarle in due per chiuderle e mangiarsele subito!!.

*28 giugno* *I disagi delle partenze. Tra pochi giorni ce ne andremo final-*
*Spezzatino* *mente a Riccione e per questo devo svuotare il freezer. L'anno*
*estivo* *in cui non l'ho fatto, naturalmente, è andata via la corrente e*
*al mio ritorno non voglio raccontarvi in che stato l'ho trova-*
*to... C'era pure un'aragosta! Va be', per non rischiare, meglio*
*cucinare tutto. Dunque, nonostante i 30°, questa sera ci siamo*
*mangiati un goloso spezzatino, facile da preparare e di sicura*
*riuscita. L'ho lasciato intiepidire e servito quasi freddo, mor-*
*bidissimo, saporito e con la giusta dose di patate e piselli cotti*
*insieme piano piano. È stata una vera delizia.*

## Spezzatino tenerissimo

4-5 👤

- 1 kg - 1 kg e ½ di fesa di vitello
- 1 o 2 cucchiai di farina
- ½ cipolla
- 1 bicchiere di polpa
  di pomodoro
- 1 bicchiere d'acqua
- 1 foglia di alloro
- 2 o 3 patate
- 100 g di pisellini surgelati
  o in scatola
- sale

Tagliare la carne a pezzi e infarinarla leggermente. Metterla in una larga casseruola con la cipolla tagliata fine fine e tutti gli altri ingredienti, tranne i piselli che dovranno essere aggiunti all'ultimo momento, se sono in scatola, o 15 minuti prima che lo spezzatino sia arrivato a cottura, se sono surgelati. Una volta che tutti gli ingredienti sono nella casseruola, mettere al fuoco a fiamma molto bassa e far cuocere a tegame coperto almeno un'ora o un'ora e mezzo, mescolando solo ogni tanto. Lasciar intiepidire e servire.

*P.S.*

*Ho due segreti per fare lo spezzatino morbidissimo. Il primo è chiedere al macellaio la carne giusta: fesa di vitello, il 'codone', ossia la parte finale (quella a punta), tenerissima! Il secondo è mettere tutti gli ingredienti a freddo nella pentola e cuocere dolcemente a tegame coperto.*

# LUGLIO

*Ci vuole così poco per mangiare bene in piena estate: prosciutto e melone, pomodoro e mozzarella, un'anguria o un'insalata ricca... Qualcosa però devo senz'altro cucinare: lontana dalla cucina non riesco a stare!*

Melone al porto

Filetto di orata al sale

Insalata greca

Linguine con scampi
e pesto di olive

Tiramisù alle fragole

Panino dolce di Matilde

Panino dolce di Eleonora

Insalata di farro,
mazzancolle e pesto

Salmone con crudaiola

Torta leggera alle prugne

Linguine alle vongole,
pomodori e zafferano

Mini cheesecake
ai frutti di bosco

Zuppetta di ceci
e vongole

Tartare di filetto
ai frutti di bosco

Pesche al moscato
con gelato

Riso, patate e cozze
(ricetta classica)

Riso, patate e cozze
(ricetta veloce)

Focaccia sardenaira

Uovo sbattuto

Mini plum-cake alla pesca

2 luglio
Come
in Costa
Azzurra...
*Finalmente al mare! Adesso mi sento davvero in vacanza. Per festeggiare ho voluto preparare un aperitivo-antipasto che ho assaggiato in Costa Azzurra: melone al porto. Lì ci sono dei meloni piccolissimi, della misura di un pompelmo. Ne viene servita una metà, svuotata dei semi, e l'incavo del frutto viene riempito di porto con l'aggiunta di un cubetto di ghiaccio. Con un cucchiaino, poi, si scava nella polpa del melone raccogliendo anche il vino. Una cosa meravigliosa e molto estiva. Dal momento che qui a Riccione di meloncini così non se ne trovano, mi sono arrangiata diversamente... Ma il risultato è stato comunque ottimo! Da ripetere quando avrò ospiti.*

## Melone al porto
1 bicchiere

• 1 fetta di melone ben maturo
  e dolce
• porto secco
• 1 cubetto di ghiaccio

Tagliare il melone a tocchetti non troppo grandi e sistemarli in un bicchiere con il cubetto di ghiaccio. Riempire il bicchiere con il porto freddo di frigorifero coprendo a filo il melone e servire. Il tutto deve risultare ben ghiacciato. Volendo, si può servire con un bel piatto di prosciutto crudo a parte.

4 luglio
Pesce light
velocissimo
*Questa è proprio un'ottima scoperta: l'orata al sale che si prepara in meno di 10 minuti senza nemmeno usare il forno! E che gusto delizioso quella polpa cotta dolcemente senza grassi. Tutto merito di Enrico, il proprietario della pescheria di Riccione, che ogni giorno mi regala qualche ricettina nuova. Quella di oggi segna davvero una svolta. Stasera sono arrivata a casa alle otto e*

*alle otto e venti eravamo già a tavola a goderci un piatto di pesce squisito e raffinato.*

## Filetto di orata al sale                              4 👤

• 2 orate sfilettate di 300 g circa
  ciascuna (con la pelle, mi
  raccomando!)

• olio extravergine
• sale grosso

Ricoprire completamente il fondo di una padella antiaderente con uno strato di sale grosso. Accendere il fuoco e, una volta che il sale è caldo (dopo qualche minuto), adagiarvi i filetti di orata dalla parte della pelle, coprire la padella con il coperchio e lasciare cuocere per circa 9 minuti (attenzione: il pesce deve essere a contatto solo con il sale e non con il fondo della padella). Controllare la cottura: quando la polpa è bianca e si stacca dalla pelle, l'orata è pronta. Sistemare il pesce in un piatto da portata e condire con un filo d'olio a crudo. Accompagnare semplicemente con qualche verdura al vapore.

*Lattuga e pomodori, che tristezza... Eppure non ci vuole molto per fare un'insalata un po' diversa! Oggi ne ho mangiata una davvero saporita e colorata. Quando si vuole stare un po' a dieta, meglio mangiare cibi con sapori forti, perché soddisfano molto di più il palato. Io, per esempio, tengo sempre nel frigorifero le cipolline sottaceto: hanno un gusto pazzesco e zero calorie. Visto che non so rinunciare all'aperitivo, le abbino a un succo di pomodoro ben condito e sono a posto. Ma torniamo alla mia insalata.*

*7 luglio*
*Un tocco di sapore*

## Insalata greca                                                4 👤

- 400 g di feta
- 2 peperoni
- 2 cetrioli
- 4 pomodori grossi e sodi ma non troppo maturi (ideali sono i cuore di bue)
- 8-10 cucchiaiate di olive nere denocciolate
- cipolla rossa di Tropea (facoltativa... ma ci sta proprio bene)
- 8 foglie di insalata verde a foglia larga per guarnire
- aceto di vino bianco
- olio extravergine
- sale

Tagliare la feta a dadini. Tagliare a metà i peperoni, privarli dei semi e dei filamenti interni e affettarli molto sottilmente. Sbucciare i cetrioli e tagliarli a fette un po' più spesse di quelle dei peperoni (quando mangerete l'insalata si devono sentire), affettare i pomodori e tagliare ad anelli la cipolla di Tropea. Unire tutto in una ciotola insieme alle olive e amalgamare delicatamente. Condire con olio, sale e poco aceto. Foderare 4 piatti fondi, o 4 coppe larghe, con 2 foglie di insalata ciascuno, versarci l'insalata greca e servire subito.

8 luglio
*Veloce ma*
*con gusto*

*Un pranzo veloce che non si dimentica. Oggi due miei amici sono venuti a trovarmi. Non ho cucinato loro un menu completo, sarebbe stato troppo. Ho fatto una super pasta marinara con scampi e pesto di olive, ricetta di Gigio, avvocato e gourmet, e un meraviglioso tiramisù alle fragole che avevo già preparato la sera prima. Non ho offerto altro, altrimenti, come ci tornavamo in spiaggia...?*

## Linguine con scampi e pesto di olive    4 👤

- 250-300 g di linguine
- 10 scampi
- 2 spicchi d'aglio

- sale
- olio extravergine ·

*per il pesto di olive*
- 125 g di olive nere denocciolate
- 1 dl d'olio
- 6 cucchiai di pinoli

- 1 mazzetto di prezzemolo
- sale

Tostare i pinoli in una padella antiaderente; tritarli nel mixer con le olive, il prezzemolo, il sale e l'olio. Soffriggere l'aglio in una padella con un po' d'olio, unire gli scampi privati della testa (se sono grandi, si possono sgusciare prima di metterli in padella) e farli cuocere velocemente. Lessare le linguine. Nel frattempo versare il pesto nella padella degli scampi. Spremere nel condimento le teste dei crostacei (basterà schiacciarle con due dita: il loro interno, forse non molto bello da vedere, darà un sapore speciale al vostro pesto), allungare con uno o due mestoli d'acqua di cottura e far cuocere ancora qualche minuto. Scolare le linguine, versarle nella padella e saltare il tutto. Se necessario, aggiungere altra acqua di cottura.

## Tiramisù alle fragole    4-6 👤

- 2 tuorli
- 3 o 4 cucchiai di zucchero
- 250 g di mascarpone
- 250 ml di panna fresca

- ½ kg di fragole
- 3 confezioni di Pavesini
- latte

Mettere i tuorli e lo zucchero in una terrina e sbatterli. Aggiungere il mascarpone e mescolare fino a ottenere una crema. Montare la panna e incorporarla alla crema. Tagliare le fragole a pezzetti piccoli piccoli. A questo punto incominciare a comporre il tiramisù: in una tortiera rettangolare spalmare la base di crema al mascarpone, poi sovrapporre il primo strato di Pavesini, inzuppati velocemente nel latte. Ricoprire di crema al mascarpone e poi di fragole. Fare un secondo strato di Pavesini, sempre intinti nel latte, coprire con la crema al mascarpone e completare con le fragole rimanenti. Lasciar riposare alcune ore in frigorifero.

*11 luglio*
*I panini dolci delle bimbe*

*Oggi, domenica, quanto mi sono divertita! Le bambine volevano a tutti i costi inventare una ricetta. Allora ho sistemato per loro i taglieri sul tavolo, proprio come faccio io a Cotto e mangiato, e le ho ammirate mentre si esibivano nelle loro preparazioni. Mi sono morsicata la lingua, non sono intervenuta a correggerle, non ho pulito nulla. E, alla fine, volete sapere una cosa? I loro panini dolci non erano niente male!*

## Panino dolce di Matilde

- 2 fette di pancarré
- Nutella
- biscotti secchi
- panna montata

Farcire le due fette di pancarré con la Nutella, i biscotti secchi sbriciolati e la panna montata.

## Panino dolce di Eleonora

- 2 fette di pancarré
- miele
- gocce di cioccolato
- panna montata

Farcire le due fette di pancarré con il miele, le gocce di cioccolato e la panna montata.

<u>*P.S.*</u>

*Invece del pancarré, si può usare il pan brioche, che è dolce!*

---

*Oggi all'ora di pranzo è piombato a casa Fabio dalla spiaggia e ha tentato di addentare un pezzo di focaccia che avevo espressamente comprato per le bambine che ne vanno matte. Dunque, l'ho bloccato e lui si è offeso, sostenendo che per lui non c'è mai nulla da mangiare... A casa mia?! Va be', lasciamo stare. Siccome però mi rimordeva la coscienza (è appena tornato da 40 giorni in Sudafrica per i mondiali), ho preso una confezione di farro, una di mazzancolle surgelate, tre pomodorini un po' avvizziti, un cucchiaio di pesto... Et voilà, cotto e mangiato!*

<u>*15 luglio*</u>
*Salvataggio in corner...*

## Insalata di farro, mazzancolle e pesto ⠀⠀4 🧍

- 250 g di farro (quello che cuoce in 10 minuti)
- 15 code di mazzancolle surgelate già sgusciate
- 100 g di pomodorini
- 1 cucchiaio di pesto pronto
- olio extravergine
- basilico fresco

Cuocere il farro in acqua salata e un minuto prima di scolarlo aggiungere anche le code di mazzancolle. Appena l'acqua riprende il bollore, scolare il tutto e versare in una bella ciotola. Unire i pomodorini tagliati in due, condire con il pesto e, se necessario, aggiungere un po' d'olio e basilico spezzettato.

*Questa è proprio da segnare: la crudaiola del Cecco, un sugo che in realtà può essere anche un contorno. Un'idea per accompagnare delle bruschette o semplicemente una 'cosa' buonissima da mangiare a cucchiaiate quando si ha fame. La ricetta mi arriva dalla carissima Cilli, che è anche l'editor di questo libro, ma, in realtà, credo che si tratti di un'invenzione di suo marito. In ogni caso, oggi, tornati dalla spiaggia, ho cotto al vapore uno splendido trancio di salmone e l'ho completato con questa crudaiola. Una delizia incredibile!*

## Salmone con crudaiola

4

• 400 g di salmone fresco in un
  unico trancio

*per la crudaiola*

• 200-300 g di pomodori freschi
  maturi e saporiti
• 1 cipollotto piccolo fresco
• una manciata di basilico fresco

• 2 cucchiai d'olio extravergine
• un pizzico di peperoncino (non
  obbligatorio, ma ci sta bene)
• 1 cucchiaino di sale

Mettere a lessare il trancio di pesce (io ho scelto il salmone, ma potete usare anche un altro tipo di pesce), facendolo bollire nell'acqua o cuocendolo al vapore (io l'ho fatto cuocere al vapore per circa 12 minuti). Una volta cotto, togliere la pelle, spezzettare il trancio con la forchetta e distribuire i pezzettini in un bel piatto. Per preparare la crudaiola tagliare i pomodori a pezzi e metterli nel mixer con il cipollotto, il basilico, l'olio, il sale e, se vi piace, anche il peperoncino. Attendere proprio l'ultimo momento, subito prima di andare a tavola, e frullare, ma non troppo, tutti gli ingredienti preparati nel mixer. La salsa non deve risultare una crema liquida e omogenea, ma un trito di pomodoro denso e profumato. Ricoprire il pesce ancora tiepido con la salsa crudaiola e portare subito in tavola.

**P.S.**

*In alternativa, versare la crudaiola in una ciotola e, a parte (non mescolare insieme), servire pasta o riso. Con il sugo che avanza è di rigore la scarpetta col pane!*

*Come si sta bene in vacanza! La colazione, poi, è un momento magico che si vive finalmente senza fretta, cominciando ad assaporare pigramente tutto quello che ci offrirà la nuova giornata... Sì, ma a me piace assaporare anche qualcosa di buono, e così questa sera, dopo aver messo a dormire tutti, ho fatto una torta leggerissima, senza burro, ma piena di dolcissime prugne succose. La casa si è riempita di un profumo irresistibile. Ora me ne vado a letto, ma non vedo l'ora che sia domani per assaggiarla.*

*17 luglio*

*Dolci risvegli estivi*

## Torta leggera alle prugne

4 ♟

- 1 kg di prugne rosse
- 2 uova
- 1 bicchiere di zucchero
- ½ bicchiere di panna liquida
- 1 bicchiere e ½ di farina
- 1 bustina di lievito
- zucchero a velo

Togliere il nocciolo alle prugne e tagliarle a fettine. In una terrina sbattere le uova con lo zucchero (meglio usare la frusta elettrica perché l'impasto così gonfierà di più: se non l'avete, usate una forchetta o una frusta a mano e 'olio di gomito'...). Quando il composto è spumoso incorporare poco a poco tutta la farina e il lievito sempre continuando a sbattere. Aggiungere, un po' alla volta, anche la panna (non montata) continuando a lavorare e, infine, versare il tutto in una tortiera foderata di carta da forno. Guarnire con le fettine di prugna, che in cottura scenderanno sulla base della torta. Mettere in forno a 180° e cuocere per 40-45 minuti. Prima di servire, spolverizzare di zucchero a velo.

**21 luglio**
**Compleanno di Diego**

*Come sopravvivere a una festa di compleanno in piena estate senza fare troppa fatica e barando un po'. Oggi il piccolo Diego compie un anno e per l'occasione ho fatto davvero una brutta figura! Sono andata in una bella pasticceria qui a Riccione per ordinare la sua torta di compleanno e, purtroppo, mi hanno riconosciuta. «Ma come, lei, che fa Cotto e mangiato, non prepara la torta per suo figlio?!» «No... Be', sa... Sono in vacanza...». Meglio tacere, ogni argomentazione avrebbe solo peggiorato la situazione. In realtà non me ne sono certo stata con le mani in mano! Ho preparato un ricco buffet di antipasti. Mentre tutti mangiavano, ho lessato delle linguine e le ho fatte saltare in un sughetto alle vongole, pomodorini e zafferano, che si prepara in anticipo e che è una vera bomba. Prima della torta di compleanno ho presentato dei mini cheesecake ai frutti di bosco freddi di frigorifero che hanno riscosso un grandissimo successo. Forse dovrei portarne qualcuno in pasticceria per difendere la mia reputazione!*

## Linguine alle vongole, pomodori e zafferano

4

- 250 g di linguine all'uovo
- 100 g di vongole surgelate
- 4 scalogni
- 4 spicchi d'aglio
- 20 pomodori ciliegini
- peperoncino

- ½ bicchiere di vino bianco
- 1 bustina di zafferano
- prezzemolo
- olio extravergine
- sale

Se una pasta deve essere veloce, che veloce sia! No alle vongole fresche che vanno pulite e sgusciate: prendete quelle surgelate! In una padella versare abbondante olio. Aggiungere lo scalogno tritato, l'aglio e una punta di peperoncino e fare un bel soffritto. Poi unire le vongole scongelate e farle cuocere con tutto il loro liquido (se il sugo vi sembra troppo asciutto, sfumatelo col vino). Aggiungere una dadolata di pomodorini, il sale, lo zafferano e fare consumare un po'. Mettere a lessare le linguine e, appena sono cotte, scolarle e saltarle nel sugo. Completare con un po' di prezzemolo tritato.

## Mini cheesecake ai frutti di bosco

6

- 100 g di biscotti Digestive
- 80 g di burro
- 150 ml di panna fresca
- 100 g di Philadelphia

- 3 cucchiai di zucchero
- 1 bustina di vanillina
- 1 uovo
- frutti di bosco o marmellata

Nel mixer tritare i biscotti con il burro sciolto. Ricoprire il fondo di stampini monoporzione con un cucchiaio di questo composto e premere bene in modo da formare la base dei mini cheesecake (se non usate gli stampini di silicone, la soluzione migliore, meglio imburrare lo stampo oppure mettere sul fondo un disco di carta da forno). Versare nel mixer (dopo averlo ripulito) la panna, il formaggio, lo zucchero, la vanillina e l'uovo, e frullare il tutto. Distribuire la crema negli stampini, mettere in forno a 150° e cuocere per circa 20 minuti. Far raffreddare e lasciare in frigorifero per una notte. Togliere dallo stampo dopo che la farcia dei mini cheesecake si è ben solidificata. Guarnire con qualche frutto di bosco o un leggero strato di marmellata.

*23 luglio*
*Il piacere*
*del rischio!*

*Ogni tanto bisogna osare. Tartare di filetto con salsa ai frutti di bosco. Di questi ultimi me n'è avanzata una marea dopo aver preparato i mini cheesecake di Diego e questa è l'occasione giusta per finirli: vanno bene anche se non sono perfetti, tanto bisogna cuocerli! Vengono a cena Luca e Rosa e, siccome so che Rosa è ghiottissima di carne cruda, ho deciso di azzardare questa variazione sul tema. Non si può mica mangiare sempre pesce solo perché siamo al mare! La tartare si prepara in anticipo: bisogna avere il tempo di tritarla come si deve con il coltello. Anche la salsa ai frutti di bosco si cuoce prima e si serve appena tiepida. Un piatto caldo però l'ho dovuto preparare: zuppetta di ceci con vongole. Squisito anche questo! Si cucina comodamente in anticipo e quindi non può giocare brutti scherzi. Per finire, visto che non avevo voglia di tornare dal pasticciere (vedi festa di Diego il 21 luglio!), ho risolto con una splendida coppa di pesche freddissime al moscato dolce, arricchite da qualche lampone che ricordava il gusto del secondo. Per chi la gradiva, una pallina di gelato alla crema.*

*Mini cheesecake ai frutti di bosco (pag. 221)*

*Rombo con le patate (pag. 241)*

# Zuppetta di ceci e vongole

4

- 2 lattine di ceci da 135 g circa
- 500 g di vongole veraci fresche
- 100 g circa di verdure
  per soffritto surgelate
- 1 spicchio d'aglio
- olio extravergine
- 1 ciuffo di prezzemolo
- vino bianco
- 1 dado o 1 misurino di
  brodo granulare di pesce, in
  alternativa brodo vegetale
- sale e pepe

Immergere le vongole in una ciotola piena d'acqua fresca, unire un cucchiaio di sale e lasciarle spurgare almeno una mezz'ora. Rosolare dolcemente le verdure per soffritto in un tegame con un po' d'olio, aggiungere i ceci scolati dalla loro acqua di conservazione, farli insaporire qualche istante e poi versare un po' d'acqua, ma non troppa, giusto per ricoprire appena i legumi. Aggiungere un misurino di brodo granulare di pesce (o un dado), regolare di sale e lasciar cuocere a tegame coperto e fuoco dolcissimo per circa un quarto d'ora fino a quando i legumi non saranno tenerissimi. Sciacquare bene le vongole sotto l'acqua corrente. Far soffriggere in una larga padella uno spicchio d'aglio con 2 cucchiai d'olio, unire le vongole, sfumare con il vino, alzare un po' il fuoco e coprire. Lasciare cuocere e in pochi minuti le vongole saranno aperte. Togliere dal fuoco sia le vongole sia la zuppa di ceci. Con un frullatore a immersione frullare la zuppa senza renderla completamente liscia, ma lasciando qualche cece ancora intero. Sgusciare le vongole, unirle alla zuppa con tutto il sughetto, filtrato attraverso un colino, e completare con il prezzemolo tritato. Questa zuppa si può fare in anticipo e scaldare all'ultimo momento. Se volete fare bella figura, lasciate alcune vongole con la conchiglia e distribuitele in ogni fondina per guarnizione insieme a una fogliolina intera di prezzemolo, un po' di pepe e una girata d'olio.

*P.S.*

*Naturalmente questa zuppetta si può preparare anche con le vongole surgelate e già sgusciate.*

## Tartare di filetto ai frutti di bosco

4

*per la tartare (a porzione)*
- 100 g di filetto di manzo
- 1 cipollotto
- qualche foglia di basilico
- olio extravergine
- sale e pepe

*per la salsa*
- 150 g di frutti di bosco
- 1 noce di burro
- 2 cucchiai abbondanti di aceto balsamico

Cuocere i frutti bosco in una casseruola con il burro per 5 minuti. Quindi aggiungere l'aceto e cuocere per altri 5 minuti a fuoco basso e tegame coperto. Passare la salsa attraverso un colino e versarla in una salsiera. Pulire il filetto dal grasso, tagliarlo a fettine sottili, poi a striscette e, infine, a pezzetti piccoli. Quindi tritare il tutto con la lama del coltello finché non si ottiene la consistenza desiderata. Trasferire la carne in una terrina. Condire con qualche anello di cipollotto tagliato fine fine, il basilico spezzettato altrettanto finemente, l'olio, il sale e il pepe e mescolare. Preparare i piatti individuali creando al centro un cilindro di tartare: mettere la carne tritata in un coppapasta di alluminio appoggiato sul piatto, comprimerla e sfilare l'anello (io mi costruisco il coppapasta semplicemente tagliando un foglio di alluminio e ripiegandolo più volte su se stesso in modo da formare una striscia alta circa 4 dita; con questa formo un anello della grandezza desiderata e lo fermo con lo scotch). Condire la tartare con la salsa, che va versata di lato e sopra. Guarnire con frutti di bosco freschi e foglie di basilico.

## Pesche al moscato                                    4 👤

*Dosi a piacere*
• pesche
• moscato dolce

• zucchero
• lamponi
• qualche foglia di menta

Tagliare le pesche a pezzetti (se usate le pesche noci, lasciate la buccia, altrimenti toglietela). Raccoglierle in una ciotola, annegarle nel moscato e addolcire il tutto con lo zucchero. Lasciare riposare in frigorifero almeno 2 ore. Servire in coppette singole guarnendo il tutto con lamponi e menta (per i più golosi si possono anche accompagnare le pesche con una pallina di gelato alla crema).

*Oggi, sabato, a pranzo eravamo in nove. Dato che i piatti forti erano un po' particolari, ho preparato due grandi vassoi di prosciutto e melone e di pomodoro, mozzarella e basilico, per evitare che qualcuno rimanesse a digiuno. Poi ho presentato una sontuosa tiella (tegame) di riso, patate e cozze, una delizia tutta pugliese che esalta il gusto semplice e unico del pesce. Si prepara anche con un'ora di anticipo e fa un figurone. Invece, in onore delle mie estati a Sanremo, ho fatto la sardenaira, una focaccia squisita che si condisce con un sugo di pomodoro molto denso e*

*24 luglio*
*'Viva le specialità regionali*

saporito, che ha riscosso un grande successo. Molto meno banale di una pizza, l'ho servita tiepida a quadrotti, insieme all'aperitivo, mentre eravamo ancora in piedi. Per finire, una ciotola di ciliegie e uva tagliata a grappoli piccoli, fredde di frigorifero e ulteriormente raffreddate da una bella quantità di cubetti di ghiaccio.

## Riso, patate e cozze (ricetta classica)  6 👤

- 4 patate
- ½ cipolla
- 1 kg e ½ di cozze
- 1 ciuffo di prezzemolo
- 250 g di riso
- 150 g di grana o pecorino
- qualche pomodorino
- olio extravergine
- sale e pepe

Utilizzare un tegame abbastanza profondo, che possa essere messo sul fuoco e in forno. Sbucciare le patate e tagliarle a fette piuttosto sottili (io le metto a riposare in una ciotola con acqua e sale mentre preparo il resto degli ingredienti). Tagliare la cipolla a pezzetti piccoli. Pulire le cozze togliendo la barbetta e passandole sotto l'acqua corrente. Versarle in una padella a fuoco vivo, mettere il coperchio e aspettare qualche minuto finché non si aprono. Lasciarne una decina con una sola valva, le altre sgusciarle completamente. Conservare il liquido di cottura. Una volta preparati tutti gli ingredienti, si può incominciare a comporre il piatto. Mettere la cipolla sul fondo del tegame con un po' d'olio. Ricoprirla con uno strato di patate a fette, condire con sale, prezzemolo tritato, un filo d'olio. Fare uno strato di cozze scegliendone qualcuna con la conchiglia e qualcuna senza, distribuire due pugni di riso crudo e condire con il pecorino o il grana grattugiato. Chi lo desidera, può aggiungere anche qualche pomodorino. Ricominciare con le patate, poi l'olio, il sale, il prezzemolo, le cozze, il riso e il formaggio. Io faccio tre strati e finisco con uno strato di patate e pomodorini, il prezzemolo, il sale, l'olio e il parmigiano. Per completare, filtrare con il colino l'acqua di cottura delle cozze e versarla nella tiella. Aggiungere poi altra acqua coprendo a filo gli ingredienti e riempiendo quasi completamente gli spazi rimasti tra di essi. Mettere il tegame coperto sul fuoco a fiamma vivace. Appena l'acqua comincia a sobbollire, spegnere il fuoco, togliere il coperchio, sostituirlo con l'alluminio per sigillare bene il tegame e passare in forno a 180° per circa 40 minuti. Continuare poi la cottura per altri 10 minuti senza alluminio per far gratinare bene le patate. Togliere dal forno e lasciare intiepidire un po' in modo che tutto il liquido venga assorbito.

## Riso, patate e cozze (ricetta veloce) 6 &

I pugliesi saltino a piè pari questa ricetta... Quando ho fretta, io compro due vaschette di cozze alla marinara surgelate (di quelle buone) e le lascio scongelare. Faccio poi gli strati, semplicemente alternando le patate e il riso alle cozze e al grana, e completo unendo il sughino delle cozze, eventualmente allungato con un po' d'acqua. Per la cottura uso lo stesso procedimento della ricetta classica.

## Focaccia sardenaira

6 &

*per l'impasto*
- 500 g di farina
- sale
- ½ cubetto di lievito
- ½ bicchiere circa d'acqua tiepida (200 ml circa)

- ½ bicchiere circa di latte tiepido (200 ml circa)

*oppure*
- 500 g di impasto già pronto

*per il sugo*
- 1 bottiglia di polpa di pomodoro (polpa o passata)
- 1 cipolla piccola
- 2 spicchi d'aglio
- 4 acciughe

- zucchero
- olio extravergine
- sale
- 2 o 3 cucchiaiate di olive taggiasche denocciolate

Per preparare il sugo: mettere in una padella l'olio, aggiungere la cipolla tagliata sottile, l'aglio schiacciato e 2 acciughe, e fare un bel soffritto inclinando la padella in modo che l'olio copra bene gli ingredienti e che le acciughe si sciolgano del tutto. Poi aggiungere la polpa di pomodoro, lo zucchero e il sale e lasciar cuocere per circa un'ora a fuoco basso e a tegame coperto fino a ottenere un sugo denso e squisito (si può fare anche il giorno prima e conservare in frigorifero). Procedere a preparare l'impasto della focaccia: se lo comprate, dovete semplicemente farlo lievitare. Se, invece, decidete di fare voi la pasta, vi suggerisco il metodo di Luca. In una pentola di acciaio o alluminio abbastanza alta versare la farina, il sale e un po' d'acqua tiepida. Incominciare a mescolare con un cucchiaio di legno, aggiungere il lievito sbriciolato e, poco per volta, tutta l'acqua e il latte necessari a ottenere un impasto molto morbido e un po' appiccicoso. Mescolare sempre con movimenti rotatori, cercando di raccogliere l'impasto al centro del cucchiaio. Lavorarlo per 10 minuti circa e lasciarlo riposare per almeno un'ora, coperto da un canovaccio, poi stenderlo con le mani sulla placca del forno aiutandosi con un pizzico di farina per non farlo appiccicare alle dita (sulla placca io metto la carta da forno e anche un po' d'olio per insaporire la pasta). Una volta che la pasta della focaccia è stesa, versare abbondante sugo. Completare con le olive taggiasche e le rimanenti acciughine. Mettere in forno ventilato a 200° e cuocere per 15 minuti.

*Evviva le ricettine della nonna, che funzionano sempre! Domani ci trasferiamo in Sardegna e oggi non avevo davvero niente in casa. Speravo che le bambine se la dimenticassero proprio la merenda, viste le valigie e la confusione della partenza! Invece no... Noiose e affamate! Allora, poiché nel frigorifero avevo solo uova, ho fatto loro il mitico uovo sbattuto. Per Matilde con il cacao, per Eleonora con un cucchiaino di caffè. Sono impazzite. Il problema è che ora lo vorrebbero tutti i giorni!*

**28 luglio**
**La merenda della nonna**

## Uovo sbattuto

- 1 tuorlo
- 3 cucchiaini di zucchero
- 3 cucchiaini di caffè
- 3 cucchiaini di cacao amaro

Versare il tuorlo in una tazza, aggiungere lo zucchero e iniziare a sbattere molto bene il composto finché non diventa bianco. Aggiungere il cacao o il caffè e mescolare ancora. Se si ha tempo, si può montare l'albume, incorporarlo dolcemente e poi mettere il tutto in frigorifero qualche ora prima di servire.

*Ho comprato troppe pesche! L'altro giorno mi sono lasciata tentare perché erano molto belle, ma adesso rischio di buttarle via... Credo di aver sopravvalutato la nostra passione per questo delizioso frutto estivo. La soluzione, però, esiste sempre. Questa sera farò dei mini plum-cake ripieni di pesca: leggerissimi, morbidi e irresistibili. Una bella sorpresa per la colazione di domani.*

## Mini plum-cake alla pesca 7-8 ♟

- 70 g di farina
- 1 cucchiaino di lievito per dolci
- 100 g di zucchero
- 2 uova
- 50 g di burro
- 2 pesche
- burro
- zucchero a velo

Mescolare la farina con lo zucchero e il lievito. A parte sbattere le uova con il burro sciolto, versare il composto nella farina e amalgamare bene (io uso le fruste elettriche perché così l'impasto risulta più soffice). Imburrare e infarinare degli stampini da plum-cake, ma, se non li avete, andranno benissimo anche i pirottini di alluminio rotondi usa e getta. Riempirli per ⅓ con l'impasto. Sbucciare le pesche, tagliarle a fettine e infilarne qualcuna in ogni dolcetto. Mettere in forno a 180° e cuocere per circa 25-30 minuti. Lasciar raffreddare e spolverizzare con zucchero a velo.

*P.S.*

*I mini plum-cake si possono preparare anche con le mele o le pere, secondo la stagione.*

*F*inalmente siamo tutti in vacanza! Quando si smette di lavorare, lontani dalle fatiche e dalla routine quotidiana, cucinare un po' (ma non troppo) diventa ancora più divertente. E la materia prima in questa stagione proprio non manca!

Crostata di lamponi
e meringa

Filetti di branzino
con arance e finocchi

Cestini di parmigiano
con insalatina

Filetto di salmone
caramellato

Crostata con crema
di limone e pistacchi

Aspic di pollo e verdure

Cozze del comandante

Gelato alla stracciatella

Peperoni con feta e capperi

Rombo con le patate

Tartare di fragole
e banane con gelato

Teglia di pane carasau
e peperoni

Focaccia di pane carasau
allo stracchino

Pesche ripiene

Involtini di prosciutto
con verdure

Sfogliata farcita

Mozzarella in carrozza

Torta di mele
di Francesca

*Siamo appena arrivati in Sardegna e già la vita mondana ci ri-succhia... Scherzo, naturalmente! Noi al mare non ci muovia-mo quasi mai dal giardino davanti alla spiaggia. Di pomeriggio ci giocano i bambini, la sera organizziamo cene con amici dove ognuno porta qualcosa. Questa sera, anche se non ho ancora di-sfatto le valigie, mi sono offerta di contribuire con una crostata ai lamponi. L'ho fatto perché conosco una ricetta furbissima che mi farà fare una super figura con il minimo sforzo. Invece della crema pasticciera farò un pasticcio di panna montata e merin-ghette che completerò coi lamponi: una delizia! Del resto ho una reputazione da difendere ormai!*

## Crostata di lamponi e meringa

6

- 1 rotolo di pasta frolla già pronta
- 250 ml di panna fresca
- 150 g di meringhette
- 1 vaschetta di lamponi
- 1 vaschetta di mirtilli

Stendere la pasta frolla in una teglia facendo un bordo. Bucherellarla, ricoprirla con un foglio di alluminio e uno strato di fagioli secchi, perché non bruci, metterla in forno a 200° e cuocere per 20 minuti. Togliere dal forno e farla raffreddare. Intanto montare la panna, incorporare le me-ringhette sbriciolate grossolanamente con le mani e metà dei frutti di bosco, e stendere il composto sulla pasta frolla. Completare guarnendo la torta con i frutti di bosco rimasti. Tenere il dolce in frigorifero fino al momento di servire.

### P.S.

*In alternativa si può preparare la farcitura solo con la panna e le meringhe, stenderla sulla pasta e distribuire tutti i frutti di bosco a guarnizione della torta.*

*L'abbinamento di arance e finocchi è un classico molto fresco e sfizioso. Insieme ai filetti di orata, poi, crea un piatto veramente buonissimo! I finocchi appena ripassati in padella, non crudi ma ancora croccanti, sono stati una vera rivelazione da servire anche da soli come contorno.*

2 agosto

*Abbinamento perfetto*

## Filetti di branzino con arance e finocchi

4

- 4 filetti di branzino
- 4 finocchi piccoli oppure 2 grandi
- 4 cucchiai di olive taggiasche denocciolate
- il succo di 3 arance
- 1 bicchiere di vino bianco
- olio extravergine
- farina
- sale

Tagliare i finocchi a fettine sottili e saltarli in padella con poco olio per 5 minuti appena: devono risultare ancora croccanti. Toglierli dalla padella e tenerli da parte. Nella stessa padella, ulteriormente unta d'olio, far rosolare su entrambi i lati i filetti di branzino precedentemente infarinati. Salare, sfumare con il succo di arancia, aggiungere le olive e portare a cottura. Quando il fondo di cottura si sarà praticamente asciugato e il pesce ben rosolato, togliere i filetti, versare nella padella il vino e rimetterla sul fuoco mescolando, in modo da creare un sughino saporito, scuro e cremoso. Servire i branzini su un piatto da portata, con i finocchi, e bagnarli con una quantità abbondante di sughino.

*Oggi a pranzo sono venute due mie amiche che non vedevo da un sacco di tempo. Non stavano nella pelle dalla voglia di conoscere il piccolo Diego. Visto che arrivavano direttamente*

4 agosto

*Pausa spiaggia*

*dalla spiaggia, dove sarebbero ritornate dopo pranzo, ho voluto preparare una cosa piccola ma sfiziosa. Dei cestini di parmigiano ripieni di insalata. Pensavo fosse impossibile, ma, invece, dopo i primi due tentativi un po' così, gli altri cestini sono venuti più che dignitosi. Poi, una volta riempiti di insalatina fresca e colorata, sono risultati addirittura strepitosi. Grazie a Cristina D., che mi ha insegnato come farli! Oltre a questa chicca ho presentato un classico prosciutto e melone e una bella macedonia.*

## Cestini di parmigiano con insalatina 4 🧍

- 1 busta di misticanza
- 1 mazzetto di ravanelli
- 150 g di prosciutto cotto a cubetti
- olio extravergine
- aceto balsamico o glassa di aceto balsamico
- 8 cucchiai di parmigiano grattugiato (2 per ogni cestino)
- sale

Ungere una padellina con pochissimo olio. Lasciarla riscaldare sulla fiamma a intensità media. Distribuire sul fondo della padella due cucchiai di parmigiano dandogli la forma di un disco grande come il piattino di una tazzina da caffè. Lasciar fondere dolcemente e togliere dal fuoco quando il formaggio è fuso e leggermente abbrustolito. A quel punto, con una paletta, staccare lo strato di formaggio e farlo scivolare dolcemente sopra una coppetta rovesciata, in modo che ne prenda la forma concava. Lasciar raffreddare pochi minuti. Ripetere l'operazione fino a realizzare tutte le ciotoline che servono. Mettere la misticanza in una ciotola, unire i ravanelli tagliati a spicchi e il prosciutto cotto, mescolare e condire con aceto balsamico, l'olio e sale. Distribuire l'insalata nelle ciotoline di parmigiano e servire.

## P.S.

*Cristina serve l'insalata con dadini di pancetta saltati in padella al posto del prosciutto.*

*Anche se sono in vacanza non ho resistito e per pranzo ho provato una ricetta nuova: tranci di salmone caramellati. Li ho presentati con purè e spinaci, davvero squisiti e veloci. A dire il vero, avevo preparato anche due tranci semplicemente infarinati e rosolati con un po' d'olio per le bambine perché temevo che il gusto agrodolce le avrebbe infastidite. E invece alla fine si sono pappate il salmone caramellato e quello semplice me lo sono dovuto mangiare io... Alla faccia della prudenza!*
*P.S. Oggi è anche il mio compleanno! Come ho festeggiato? Questa sera sono andata al ristorante: almeno in quest'occasione a cucinare non sono stata io!*

6 agosto
*La prudenza non è mai troppa*

## Filetto di salmone caramellato                4 👤

- 800 g di filetto di salmone in tranci
- 1 bicchiere di porto
- ½ bicchiere di aceto di mele
- 3 cucchiai di zucchero di canna
- una spruzzata di soia
- salvia
- olio extravergine
- sale

Disporre i tranci di filetto di salmone in un piatto dai bordi alti. Condirli con il porto, l'aceto, lo zucchero, la soia e lasciarli marinare per un po'. Prelevarli dalla marinata e farli rosolare, con la pelle rivolta verso il basso, in una padella unta d'olio. Quando la pelle è ben dorata, bagnare con la marinata, aggiungere la salvia e lasciar cuocere a tegame coperto finché il sugo non si sarà un po' ristretto. A fine cottura alzare il fuoco e togliere il coperchio perché il sugo si caramelli e diventi denso. Solo a questo punto girare il salmone per insaporirlo anche dall'altro lato. Spegnere il fuoco e servire con un'abbondante dose di sughetto (io l'accompagno con purè e spinaci).

*7 agosto* *Oggi ho provato a fare una bella torta al limone e pistacchi. Pro-*
*Bella e* *prio facile e talmente bella che mi dispiaceva quasi mangiarla.*
*buona* *Il contrasto tra la crema al limone gialla e i pistacchi verdi creava una vera opera d'arte. Peccato che ormai sia già finita!*

## Crostata con crema di limone e pistacchi

4 🧍

- 1 rotolo di pasta frolla già pronta
- 5 uova
- 200 g di zucchero
- 200 ml di panna
- 1 o 2 limoni a seconda dei gusti
- 40 g di maizena
- 100 g di pistacchi sgusciati
- zucchero a velo

Stendere la pasta frolla in una tortiera, fare un bordo, bucherellare la base, ricoprire il tutto con l'alluminio e i legumi secchi (in modo che la pasta non bruci). Mettere in forno a 200° e cuocere per 20 minuti. Nel frattempo, mescolare in un pentolino le uova con lo zucchero e la panna. Aggiungere il succo del limone (in quantità a piacere secondo i gusti) e la maizena. Amalgamare e mettere sul fuoco la crema facendola cuocere, sempre mescolandola, fino a che non si addensa. Togliere dal forno la base di pasta frolla e distribuirvi la crema dopo aver rimosso l'alluminio e i legumi.

Tritare grossolanamente i pistacchi nel mixer e distribuirli sopra la torta. Passare in forno a 180° per altri 10 minuti e servire con una leggera spolverizzata di zucchero a velo.

*Ecco un piatto giusto giusto per chi torna accaldato dalla spiaggia: l'aspic di pollo, praticamente una specie di carne Simmenthal, ma fatta in casa e arricchita con le verdure. Si prepara il giorno prima, poi basta aprire il frigorifero per gustarsi quel sapore fresco, leggero e appetitoso. Unica raccomandazione: non sfidate troppo la legge di gravità, cioè non fate un aspic troppo alto o rischierà di crollare. Si tratta pur sempre di una montagna di gelatina!*

*8 agosto*
*Ideale dopo la spiaggia*

## Aspic di pollo e verdure

4

- 3 sottocosce di pollo
- 1 carota grande
- 1 cipolla
- sale grosso
- sale fino
- 50 g di pisellini in scatola
- 50 g di mais

- 50 g di prosciutto cotto
- ½ limone

*per la gelatina*
- tavolette o bustine pronte per 500 ml di gelatina

Far lessare le sottocosce di pollo con la carota e la cipolla. Quando la carne è cotta metterla in una ciotola con la carota, filtrare il brodo attraverso un colino e metterne da parte circa 500 ml. Tagliare a piccoli pezzetti la carota bollita e sfilacciare il pollo. Rimettere carota e pollo nella ciotola, unire il mais, i piselli e il prosciutto tagliato a pezzetti, e mescolare delicatamente il tutto. Versare il succo del limone nel brodo tenuto da parte, portarlo nuovamente a bollore e sciogliervi il preparato per la gelatina (per la quantità, seguire le istruzioni della confezione relative a 500 ml di brodo). Versare nella ciotola il brodo con la gelatina, coprire a filo il ripieno dell'aspic e far raffreddare. Mettere in frigorifero e lasciare anche un giorno intero. Al momento di girare l'aspic, immergere la ciotola per qualche secondo in acqua calda (in alternativa potete posizionare la ciotola sul piatto da portata, già girata, e scaldarla velocemente con l'asciugacapelli).

P.S.

---

*Nell'aspic potete mettere tutto quello che vi piace.*
*Ci stanno bene anche i cetriolini sottaceto.*

---

**10 agosto**
**Specialità**
**francese**

*Oggi ho assaggiato le cozze al roquefort preparate da Paolo, un amico che in cucina ama stupire con piatti davvero scenografici. Si tratta di una ricetta francese per niente difficile, ma di grandissimo effetto. Finite le cozze, è stata una vera e propria gara a ripulire la padella in cui era rimasto quel sughetto davvero meraviglioso: è così che si misura il vero successo di un piatto!*

## Cozze del comandante                        4-6 👤

- 1 kg di cozze
- ½ bicchiere di vino bianco
- ½ cipolla bianca
- 60-70 g di roquefort
- ½ litro di panna fresca

Pulire le cozze e poi farle aprire in una padella con il coperchio, a fuoco abbastanza alto e sfumando con il vino. In un'altra padella soffriggere la cipolla, che deve rimanere un po' croccante, aggiungere il formaggio con due cucchiai del sughetto delle cozze e mescolare fino a che non si è sciolto. A quel punto aggiungere la panna (sulla quantità precisa è meglio regolarsi assaggiando) per ottenere una crema che dev'essere saporita ma non troppo piccante. Versare la crema sulle cozze nella loro padella, mescolare bene, scaldare e servire.

### P.S.

*In Francia le servono con le patate fritte. In alternativa, vanno bene anche dei crostini di pane perché la scarpetta è d'obbligo!*

---

*Oggi sorpresa per merenda. Ho invitato le amichette di Matilde ed Eleonora e ho offerto loro il gelato alla stracciatella, una vera bontà che mi ha insegnato Carla. Piattini di plastica, tovaglioli-ni di carta e poi di nuovo in spiaggia.*

*11 agosto*
*Bontà*
*a merenda*

## Gelato alla stracciatella          6 👤

• 3 uova
• 100 g di mascarpone
• 200 ml di panna fresca
• 100 g di zucchero
• 100 g di cioccolato fondente

Sbattere per bene i tuorli con lo zucchero e unire il mascarpone. Montare a neve ferma gli albumi e, separatamente, la panna. Incorporare delicatamente prima la panna poi gli albumi montati. Ridurre il cioccolato a scaglie o tritarlo nel mixer e incorporarlo al gelato. Amalgamare delicatamente, versare il composto in uno stampo da plum-cake e lasciare in freezer almeno una notte. Al momento di portare in tavola capovolgere il gelato su un piatto ovale dopo aver immerso lo stampo un attimo nell'acqua calda in modo che si stacchi dalle pareti con facilità (in alternativa potete capovolgere lo stampo sul piatto da portata e scaldarlo velocemente con l'asciugacapelli). Poi tagliare a fette e servire.

*14 agosto*  *Lo so che tante persone amano i peperoni ma non li possono*
*Doposole*  *mangiare perché alla fine risultano loro indigesti. Be', io for-*
*goloso*  *tunatamente non appartengo a questa categoria e d'estate amo fare scorpacciate di questo piattino saporitissimo. Lo preparo in anticipo e poi, quando è l'ora di pranzo, torno dalla spiaggia pregustandomi i miei peperoni freschi e golosi. L'idea semplice, ma geniale, è di Luigi Spagnol.*

## Peperoni con feta e capperi     4

- 3 peperoni
- 16 pomodori ciliegini
- 6 cucchiai di capperi
- olio extravergine

- feta
- basilico
- sale

Tagliare i peperoni a metà nel senso della lunghezza e privarli dei semi e dei filamenti interni. Tagliare a metà o a spicchi (a seconda della grandezza) i pomodorini. Disporre i mezzi peperoni in una teglia foderata di carta da forno e riempirli con i pomodorini. Completare con i capperi, un po' d'olio e poco sale. Mettere in forno ventilato a 210° e far cuocere 10 minuti. Abbassare la temperatura a 180° e continuare la cottura per altri 10 minuti senza ventilazione. Far raffreddare e cospargere ogni mezzo peperone con abbondante feta sbriciolata e un po' di basilico spezzettato.

*P.S.*

---

*Usate preferibilmente peperoni piccoli, così il piatto sarà più gradevole da presentare.*

---

*Cenetta in riva al mare... Io e Fabio. Rombo con le patate, facilissimo da preparare con la ricetta di Angelo Santoro. Poi tartare di frutta con gelato: un'idea vincente per mangiare un dessert leggerissimo alla frutta. Ricetta di Cristina C., maestra di stile.*

15 agosto

In due
con amore

## Rombo con le patate    2 👤

- 1 rombo di grandezza media
- 3 patate
- 2 rametti di rosmarino
- 2 spicchi d'aglio
- olio extravergine
- sale

Sbucciare le patate e tagliarle a fettine molto sottili. Foderare una teglia con la carta da forno, ungerla d'olio e ricoprirla con uno strato di patate leggermente sovrapposte. Condire con il sale. Praticare due tagli profondi a forma di croce sulla pelle del rombo in modo da favorirne la cottura. Adagiare il pesce sulle patate, aggiungere l'aglio, inserendo uno spicchio nella pancia e l'altro sotto la coda, e il rosmarino. Completare con un po' d'olio, mettere in forno a 180° e far cuocere per circa mezz'ora.

## Tartare di fragole e banane con gelato   2 🧍

- 1 banana
- 10 fragole piccole
- 1 arancia
- 2 cucchiaini di zucchero
- 2 palline di gelato alla crema

Tagliare a pezzetti molto piccoli la banana e le fragole, metterli in una ciotola, aggiungere il succo dell'arancia e lo zucchero e mescolare. Mettere al centro di ciascun piatto un coppapasta e riempirlo di macedonia (io mi costruisco il coppapasta semplicemente tagliando un foglio di alluminio e ripiegandolo più volte su se stesso in modo da formare una striscia alta circa 4 dita; con questa formo un anello della grandezza desiderata e lo fermo con lo scotch). Compattare bene la macedonia con un cucchiaio, sistemarvi sopra una pallina di gelato e sfilare delicatamente il coppapasta.

*17 agosto* *Quant'è buono il pane carasau (o 'carta musica')! Qui in Sar-*
*Ricetta* *degna lo compro regolarmente al posto del pane normale ed è*
*sarda* *meraviglioso, così croccante e saporito. La rivelazione è che è perfetto anche per cucinare. Questa teglia di peperoni è un piatto di una squisitezza unica.*

## Teglia di pane carasau e peperoni   6 🧍

- 3 peperoni rossi
- 1 cipolla piccola
- 300 g di stracchino
- brodo vegetale
- 400 g circa di pane carasau
- pecorino stagionato
- basilico
- olio extravergine
- sale

Mettere in una padella i peperoni, privati dei semi e dei filamenti interni, tagliati a listarelle e la cipolla affettata a rondelle sottili. Condire con un po' d'olio e di sale e far cuocere a tegame coperto finché le verdure saranno morbide, ma non spappolate. Bagnare per bene ogni sfoglia di pane carasau con il brodo caldo (vanno inzuppate un po' come i biscotti della colazione, anche se non devono diventare troppo molli). Versare sul fondo di una teglia rettangolare un po' d'olio e un po' di brodo e comporre un primo strato di pane carasau ammollato (se necessario, rompetelo, in modo da ricoprire l'intera superficie della teglia). Coprire il carasau con ⅓ dei peperoni, ⅓ dello stracchino, a pezzetti, e di pecorino grattugiato, e bagnare con un altro po' di brodo. Proseguire nella stessa maniera componendo tre strati (ricordarsi di bagnare ogni strato con un altro po' di brodo). Per completare, distribuire un po' di basilico spezzettato. Mettere in forno a 200° e cuocere per 25 minuti. Se la superficie non riesce a gratinare, passare alcuni minuti alla funzione grill.

*P.S.*

*Se non amate i peperoni, potete sostituirli con un'altra verdura.*

*Non contenta dei successi della mia teglia di peperoni, oggi ho provato un'altra ricetta con il pane carasau. Talmente veloce da non crederci. Il risultato è una specie di focaccia di Recco che si prepara semplicemente sovrapponendo due fogli di pane con in mezzo del formaggio. Bisogna solo calibrare bene le dosi, la quantità di brodo e la potenza del forno (io ormai sono una esper-*

*19 agosto
*A*ncora
pane
carasau*

ta...). Una volta pronta ho portato la mia focaccia in spiaggia per l'aperitivo... gustata insieme agli amici è diventata ancora più squisita.

## Focaccia di pane carasau allo stracchino

4

- 4 o 5 fogli rettangolari di pane carasau
- ½ dado
- 300-400 g di stracchino
- sale grosso
- olio extravergine
- 1 cucchiaio di grana

Sciogliere il dado in acqua calda e con un mestolo di brodo bagnare due fogli di pane carasau. Adagiarli sul fondo di una teglia rettangolare foderata di carta da forno. Distribuire lo stracchino a tocchetti sopra il pane inzuppato. Chiudere la focaccia con un altro strato di pane carasau bagnato di brodo. Condire la superficie della focaccia con olio, sale grosso e una spolverata di grana. Mettere in forno a 200° e cuocere fino a che il formaggio non si è sciolto e il pane non ha fatto una leggera crosticina. Per favorire la gratinatura, negli ultimi minuti si può passare alla funzione grill.

<u>20 agosto</u>
Il dessert
dell'estate
*Le pesche ripiene sono un classico delle nostri estati! Una preparazione tipicamente piemontese che prevede che la pesca venga cotta al forno arricchita da una farcitura all'amaretto e può essere servita fredda di frigorifero o appena tiepida. Una vera squisitezza. La ricetta qui riportata è quella di Giovanna, la mia carissima cognata.*

# Pesche ripiene 8 👤

- 4 pesche gialle che si aprano bene a metà
- 1 cucchiaio di zucchero
- 4 amaretti

- 6 biscotti secchi tipo Oro Saiwa
- burro
- altro zucchero per completare

Tagliare a metà le pesche, togliere il nocciolo ma lasciare la buccia. Scavare un po' l'incavo del nocciolo con un cucchiaio. Raccogliere in una ciotola la polpa scavata, aggiungere lo zucchero, gli amaretti e i biscotti sbriciolati grossolanamente con le mani e amalgamare il tutto. Distribuire questa farcia nell'incavo delle pesche, sistemarle sulla placca del forno foderata di carta da forno, completare con una noce di burro su ciascuna mezza pesca e spolverare con un altro po' di zucchero. Mettere in forno a 180° e cuocere per circa 40 minuti.

## P.S.

*Se volete, potete aggiungere 1 o 2 cucchiai di cacao amaro nella farcia.*

*Oggi dovevo assolutamente far mangiare un po' di verdure alle bambine. Confesso che mi faceva un po' tristezza portare a tavola, di sabato, il minestrone! Così mi è venuto in mente un suggerimento della mia amica Manuela che lavora nel negozio da cui proviene praticamente tutto il mio guardaroba. Ebbene sì, invece di spendere... ogni tanto guadagno qualche ricetta!*

*21 agosto*
*Verdure allegre*

## Involtini di prosciutto con verdure 4 👤

- 200 g di fagiolini surgelati
- 200 g di carote surgelate
- 5 fette di prosciutto cotto grandi
- 1 noce di burro
- 50 g di grana
- 1 sottiletta
- sale

Lessare le verdure separatamente in acqua salata (meglio tenerle abbastanza croccanti). Una volta scolate, far saltare in una padella le carote con il burro per pochi minuti, trasferirle in una piccola pirofila da forno e spolverizzarle di grana grattugiato. Tagliare a metà ogni fetta di prosciutto cotto. Arrotolare ogni mezza fetta mettendo all'interno un mazzetto di fagiolini (3 o 4 non di più), a mo' di involtino. Sistemare gli involtini sul letto di carote, uno vicino all'altro. Tagliare a pezzetti la sottiletta, distribuirla sugli involtini e spolverizzare ancora il tutto con altro grana grattugiato. Passare in forno ventilato a 180° per 10 minuti. Gli ultimi 2 minuti passare alla funzione grill.

*23 agosto* *Ultimi giorni di sole: oggi ho preparato una bella alternativa al*
*Bontà* *solito prosciutto e melone o pomodoro e mozzarella che si man-*
*pura* *giano sempre di ritorno dalla spiaggia. Questa specie di torta*
*salata è una prelibatezza che mi è stata segnalata da Gaia. Vi*
*dico solo che a casa sua è stata ribattezzata 'Bontà pura'!*

## Sfogliata farcita 4-6 👤

- 2 rotoli di pasta sfoglia pronta
- 100 g di prosciutto cotto affettato
- 150 g circa di stracchino
- 1 vasetto di carciofini sott'olio o in agrodolce

Stendere la prima sfoglia sul fondo di una placca da forno, ricoperto con carta da forno, e bucherellarla. Frullare i carciofini con un po' del loro olio fino a ottenere un pâté e spalmarlo sulla sfoglia. Distribuire lo stracchino a tocchetti sopra il pâté e, in ultimo, coprire col prosciutto cotto. Sovrapporre la seconda sfoglia, facendola combaciare con la prima e fare un piccolo bordo per sigillare il tutto. Bucherellare leggermente, poi mettere in forno a 200° e lasciare cuocere finché la pasta sfoglia non sarà gonfia e dorata.

*Ve le ricordate le mitiche mozzarelle in carrozza? Un piatto un po' anni '80. Mi ricordo che la mia compagna di scuola Valeria favoleggiava di questo piatto meraviglioso che sua mamma cucinava così bene. Io, che non l'avevo mai sentito nominare, pensavo mi prendesse in giro. Poi, una volta capito che invece esisteva, iniziai a immaginare che fosse chissà cosa. Mozzarelle in carrozza... L'aspetto in realtà è abbastanza anonimo, ma il gusto... Una carrozza che ti porta dritta in Paradiso! Insomma, in onore dei bei vecchi tempi le ho cucinate anche per Matilde ed Eleonora, le quali, come me, all'inizio credevano scherzassi. Poi sono impazzite di curiosità e, infine, dopo una prima, lieve delusione per l'aspetto banale della preparazione, se le sono mangiate tutte.*

*24 agosto*
*Revival in cucina*

## Mozzarella in carrozza

*Le dosi vanno stabilite secondo il numero delle carrozze...*
- 200 g di mozzarella
- 8 fette di pancarré
- 2 uova
- pangrattato
- olio per friggere
- sale

Prima di iniziare meglio lasciare le mozzarelle fuori dalla loro acqua per un po' in modo che risultino un po' asciutte. Tagliare ogni fetta di pancarré in due triangoli. Appoggiare una fetta di mozzarella su uno dei due triangoli in modo che non fuoriesca, coprire con l'altro triangolo e pressare delicatamente. Immergere il pane farcito nell'uovo sbattuto, poi passare nel pangrattato. Friggere in abbondante olio di semi bollente e infine salare.

25 agosto
Piccoli
cuochi in
gara *Anche quest'anno è arrivata la fatidica giornata della gara di torte. Tutti i ragazzini della spiaggia si dividono in gruppetti e, con la consulenza dei genitori per i più piccoli, creano il loro capolavoro. Verso le sei di sera, quando il sole non è più così cocente, una selezionatissima giuria presieduta da Vittoria, regina delle torte di Punta Marana, assaggia e decide. Ebbene, io e le bambine non abbiamo mai vinto: uno smacco clamoroso! Ma questa volta sarà diverso. Ho convinto le bambine a fare la torta di mele della Franci, una delle più buone, soffici, 'melose' e irresistibili che io abbia mai mangiato! E vi assicuro che ne ho mangiate...*
*P.S. Oggi la ricetta, domani vi dico com'è andata.*

## Torta di mele di Francesca 6 👤

- 600 g di mele
- 3 uova
- 200 g di zucchero
- 70 g di burro
- 70 g di yogurt bianco
- 50 g di nocciole
- 200 g di farina
- sale
- 1 bustina di lievito
- zucchero di canna (facoltativo)

In una terrina mescolare le uova con lo zucchero, sciogliere il burro (io lo faccio nel microonde) e aggiungerlo all'impasto. Mescolare bene poi unire lo yogurt e infine la farina con lievito e sale. Sbucciare e tagliare le mele a fettine. Versare metà dell'impasto in una tortiera foderata di carta da forno, distribuire metà delle fettine di mele a formare un primo strato, poi coprire con il resto dell'impasto e concludere con un altro strato di fettine disposte a raggiera. A piacere spolverizzare con zucchero di canna. Mettere in forno a 180° e cuocere per 40-45 minuti.

*Finalmente abbiamo vinto la gara di torte! Facciamo le valigie e*   26 agosto
*torniamo a casa... per dirla 'alla Caressa'. Le vacanze ormai sono*   *Vittoria!*
*finite e c'è una nuova stagione di ricette che mi aspetta.*

# Ringraziamenti

Ecco forse la parte più importante del libro, cioè i ringraziamenti... perché senza l'aiuto di tante persone che mi vogliono bene, non sarei mai riuscita a scriverlo! Innanzitutto grazie alle carissime amiche che mi passano sempre splendide ricette. Prime fra tutte Francesca La Torre e Rosa Prinzivalli, senza dimenticare mia madre Laura, pronta a sostenermi in ogni occasione e costantemente a caccia di idee furbissime da suggerirmi. Grazie a chi mi deve sopportare tutti i giorni con i miei esperimenti poco riusciti, le torte sfornate a mezzanotte e la cucina invasa dalle telecamere. Parlo naturalmente di mio marito, Fabio Caressa, sempre al mio fianco con amore e pazienza. Grazie a mia sorella Cristina, consigliera preziosissima di tutto... tranne che di cucina. A mio fratello Roberto, con cui condivido la passione della scrittura... e a mio padre Tuccio che vorrei viziare molto più spesso di quanto riesca con i miei manicaretti! Grazie al mio editore Luigi Spagnol, che in questi due anni è diventato anche un amico e un consigliere prezioso di ricette infallibili; grazie alla dolcissima Cilli Ubertalli, che non si è risparmiata un solo secondo, anche quando ne avrebbe avuto tutto il diritto, per la buona riuscita del libro; grazie a Roberto Roveri, che mi ha dovuto rincorrere tutta l'estate con le bozze da correggere e grazie a Marina e Carlo Bergamo che mi hanno dato ospitalità e una linea adsl senza la quale non avrei potuto concludere in tempo il mio lavoro. Grazie a Giovanni Toti, direttore di Studio Aperto, nonché amico di lunga data, che mi consente ogni giorno di dilettarmi ai fornelli nella rubrica di «Cotto e mangiato». Grazie a Marco Miana, tra una riunione e l'altra spesso anche cavia delle mie ricette; grazie a Mauro Vismara e Teo Santarelli, insostituibile troupe della mia rubrica; grazie a Daniela Gitti, instancabile amica di «Cotto e mangiato» e, soprattutto, grazie ai telespettatori che mi seguono con affetto e mi regalano le loro ricette migliori.

*Crediti:*
Servizi di piatti: Rosenthal e Sambonet
Pentole: Agnelli; Tvs
Trucco e parrucco: Francesca La Torre, Patrizia Gulinelli
Abiti: Matilde ed Eleonora Miss Blumarine

# Indice

# Indice

# Indice

# Indice

# Indice

# Indice

# Indice

# Indice

# Indice delle ricette

# Indice delle ricette

# Indice delle ricette

*Dalla prefazione dell'autrice di*
## Cotto e mangiato

C ucinare non vuol dire solo eseguire dei buoni piatti, ma significa anche saper offrire sempre il menu appropriato all'occasione e al portafogli! Ecco perché ho voluto suddividere il mio ricettario proprio in base all'utilizzo che ne faccio io, indicando piatti pratici e golosi per la famiglia, suggerendo soluzioni d'effetto, ma non troppo impegnative anche economicamente, per le cene numerose e riservando i piatti più elaborati e costosi per i tête a tête. Le mie però sono solo indicazioni di massima: nulla vi vieta di destinare un piatto inserito nella sezione romantica a una cena da 20 persone.

Non avrete sorprese: le ricette contenute in questo libro sono state tutte provate da me e 'promosse' dalla mia famiglia e dai miei amici!

*Benedetta*

*Un successo editoriale*
*senza precedenti!*

BENEDETTA PARODI

COTTO E MANGIATO

La rubrica
Cotto e
mangiato
in onda su Italia 1
diventa un libro

VALLARDI

VALLARDI

Finito di stampare nel mese di gennaio 2011
dal Nuovo Istituto Italiano d'Arti Grafiche - Bergamo